세계의 미디어
엘레나 페란테의 소설을 격찬하다

위기에 봉착한 여성의 심리를 끔찍하게 묘사한 걸작이다.
이탈리아 현대 문학의 거장이라는 페란테의 명성을 확인시켜준다.
미국_시애틀 타임스

페란테의 언어는 그녀만이 갖고 있는 세계다.
때로는 심술궂고 때로는 폭력적이다. 버림받은 여성의 심리를
깊이 있게 관찰한 매섭도록 직설적인 소설이다.
미국_더 뉴요커

엘레나 페란테는 제임스 조이스의 『율리시스』처럼
도시의 풍경을 활기차게 그려낸다. 나폴리는 햇볕이 내리쬐지만
으스스한 도시다. 피폐한 삶과 아둔한 유령들로 가득 차 있다.
미국_타임아웃 뉴욕

『성가신 사랑』은 우리의 부모를 둘러싸고 있는
미스터리를 경이롭게 그려낸 소설이다.
미국_매리 윕 리뷰

페란테의 글은 원초적이고 솔직하다.
과감한 언어로 독자들을 새로운 발견의 여정으로 이끈다.
영국_온라인 독립 서평단체 레디 스테디 북

『성가신 사랑』은 심리 미스터리 소설이다.
페란테는 마치 전력 공급원으로부터 너무 멀리까지 뻗어나간
전선처럼 한 개인의 성격이 합선되고 부식되는 순간들을 그려낸다.
미국_뉴욕타임스

익명으로 남고자 하는 페란테의 결정은 독자들에게는 큰 선물이자
그녀의 대담한 창의적 표현이다.
미국_퍼블릭 북스

세상의 모든 문학 독자는 '엘레나 페란테'라는 이름으로 쓰인
그 모든 것을 읽어야 한다.
미국_보스턴 글로브

부도덕한 가족사를 읽는 독자들에게 페란테의 소설은 안성맞춤이다.
미국_컴플리트 리뷰

촉감적이고 아름답게 절제된 문장으로 페란테는 한 가족을
산산조각 내버리는 가정폭력을 다룬다.
미국_퍼블리셔스 위클리

페란테의 글은 '분노'라는 단어로 자주 표현되지만, 더 적절한 단어는
'힘'이다. 그녀의 글은 강력하다. 페란테는 강력한 작가다.
미국_트위드 매거진

'최고의 문학'이라는 표현 말고 더 좋은 수식어를 찾을 수 없다.
프랑스_엘르

도리스 레싱 이후 페란테만큼 여성의 정체성에 대해서
이토록 심오하고 신랄하게 쓴 작가는 없다.
미국_월 스트리트 저널

페란테는 익명의 작가이지만 이탈리아 최고의 작가다.
너도나도 SNS를 이용하고, 뻔뻔한 자기 프로모션이 당연히
여겨지는 시대에 정말 경이로운 일이다.
미국_일렉트릭 리터러처

페란테의 소설은 이전에는 없었던 걸 말하고 있다.
그것이 무엇이라고 규정짓기는 쉽지 않다.
너무나 흥미로워서 독자들은 자신들이 어디에 있는지도 잊게 한다.
친구도 버리고, 잠자는 것도 포기한다.
영국_런던 리뷰 오브 북스

페란테의 글은 우아하면서 짜릿하다. 면도날같이 날카로우면서
신비하게도 부드럽다. 당신이 어느 오후에 읽게 될 이 소설은
당신의 남은 인생을 함께할 것이다.
미국_리터러리 헙

올가가 직면하는 모든 것은 그녀 생각의 일부가 되고,
또 그것이 언제나 그곳에 존재했던 것처럼 그녀에게 흡수된다.
이것이 바로 페란테의 글쓰기가 특별한 이유다.
영국_런던 리뷰

나쁜 사랑 3부작 제3권

La figlia oscura
by Elena Ferrante

잃어버린
사랑

엘레나 페란테 지음
김지우 옮김

한길사

"모든 것을 처음으로 되돌리는 거다.
관습에 얽매이지도 않고
모든 일이 뻔하게 느껴져서
감각이 무뎌지지 않은
상태로 되돌아가는 거다."

1

고통은 운전한 지 한 시간도 안 돼 시작되었다. 옆구리에 타는 듯한 고통이 재발했지만 처음에는 대수롭지 않게 생각했다. 운전대를 잡을 힘조차 없고 나서야 슬슬 걱정이 되기 시작했다. 곧이어 머리가 무거워지고 신호등 불빛이 점점 흐릿해지더니 운전 중이라는 사실조차 잊고 말았다.

차 안이 아니라 대낮에 해변에 있는 느낌이었다. 그곳은 인적이 드문 해변이었다. 바다는 잔잔했지만 해안에서 그리 멀지 않은 곳에 꽂혀 있는 깃대의 빨간 깃발이 바람에 나부끼고 있었다.

"레다, 얘야. 빨간 깃발이 있을 때 수영을 하면 안 된단다. 바다가 거칠어서 물에 빠져 죽을 수 있어."

어린 시절 어머니는 이런 말로 내게 겁을 주곤 했다. 그

때의 두려움은 수년이 지나도록 사라지지 않았고 지금 이 순간 수면이 지평선 반대편에서 누군가 팽팽하게 잡아당기고 있는 반투명 종이처럼 잔잔한데도 나는 불안한 마음에 감히 물에 들어가지 못했다.

'어서 물에 들어가자. 사람들이 잊어버리고 빨간 깃발을 내리지 않은 거야.'

나는 해안에 머물면서 조심스레 발끝을 물에 담가보았다. 이따금 어머니가 모래언덕 위에 나타나 어린아이 대하듯 내게 소리쳤다.

"레다! 뭐하고 있니? 빨간 깃발이 안 보여?"

병원에서 눈을 떴을 때 잔잔한 바다를 눈앞에 두고도 들어가지 못하고 망설이고 있는 내 모습이 스치듯 지나갔다. 그래서인지 나는 그 풍경이 꿈이 아닐 거라고 생각했다. 병동에서 정신을 되찾을 때까지 계속된 일종의 경보성 환상일 거라고 확신했다.

의사들의 설명을 듣고서야 나는 내가 가드레일을 들이받았고 다행히 큰 부상은 입지 않았다는 사실을 알게 됐다. 왼쪽 옆구리에만 심한 상처가 있었지만 의사는 무엇 때문에 생겼는지 원인은 알 수 없다고 했다.

피렌체에서 친구들이 병문안을 왔고 비앙카와 마르타, 전남편 잔니까지 나를 보러 왔다. 나는 졸음 탓이 아니라는 것을 알면서도 사람들에게는 깜빡 졸다 길을 벗어났다고 했다. 하지만 진짜 사고의 원인은 내 무분별한 행동이었다. 얼마나 말도 안 되는 행동이었는지 알기에 나는 아무에게도 그 일에 대해 말하지 않겠다고 결심했다. 자기 자신조차 이해할 수 없는 일을 어떻게 다른 사람들에게 제대로 설명할 수 있겠는가.

2

딸들이 몇 년 전 직장 때문에 거처를 옮긴 자기들 아빠가 살고 있는 토론토로 떠났을 때 나는 속상한 기분이 들지 않는 내 감정에 민망함과 놀라움을 느꼈다. 나는 그제야 딸들을 완전히 세상에 내보낸 것처럼 오히려 마음이 가벼웠다.

25년 만에 처음으로 나는 딸들을 보살펴주어야 한다는 불안감에서 벗어날 수 있었다. 딸들이 떠난 후로는 집은 사람이 살지 않는 것처럼 항상 깨끗했다. 장을 봐야 한다거나 세탁을 해야 한다는 생각으로 스트레스 받을 일도 없었다. 지난 몇 년 동안 집안일을 도와줬던 가정부가 우리 집보다 급여가 높은 일을 찾아 떠난 후에도 나는 그녀를 대신할 사람을 찾아야 할 필요를 느끼지 못했다.

내게 남은 딸들에 대한 유일한 의무는 하루에 한 번씩 전화를 걸어 잘 있는지 뭘 하면서 지내고 있는지 확인하는 일뿐이었다. 딸들은 전화로는 자기들이 완전히 독립한 것처럼 이야기했지만 사실은 아빠와 살고 있었다. 나와 전남편을 별개의 존재로 인식하는 데 익숙해서 나랑 통화할 때 자기들 아빠에 대한 말은 일언반구도 하지 않았다. 어떻게 지내느냐고 물으면 딸들은 짐짓 명랑한 척하며 애매한 말을 늘어놓거나 짜증스레 말을 툭툭 끊으면서 퉁명스럽게 대답했다. 친구들과 함께 있을 때 전화를 받기도 했는데 그럴 때는 말투가 가식 그 자체였다.

딸들이 먼저 나를 찾을 때도 많았다. 비앙카가 특히 그랬는데 평소 큰딸은 유독 엄마를 더 잘 찾았다. 물론 푸른색 신발이 오렌지색 치마와 잘 어울리는지 물어보고 싶을 때나, 자기가 책갈피에 무슨 종이를 끼워 두었는데 찾아서 최대한 빨리 보내 달라고 부탁할 때나, 다른 하늘 다른 대륙에서도 자기들의 울분과 불행을 엄마에게 하소연할 수 있는지 확인하고 싶을 때만 그렇게 했다. 딸들은 항상 다급하게 전화를 끊었고 가끔은 그런 딸들이 영화배우처럼 가식적으로 느껴졌다.

나는 딸들의 부탁을 들어주고 기대에 응해주었다. 하지만 멀리 떨어져 있어 딸들 일에 직접 개입할 수 없게 되자 딸들의 욕망이나 변덕을 충족해주는 일이 현실과 멀게 느껴져 부담스럽지 않았다. 딸들의 요구가 대수롭지 않게 느껴졌고 딸들과 관련된 일은 애정 어린 습관이 되었다. 나는 기적 같은 해방감을 느꼈다. 힘든 임무를 완수한 후 마침내 부담감에서 벗어난 것 같았다.

나는 딸들의 일정이나 딸들이 무엇을 필요로 하는지 신경 쓰지 않고 일할 수 있게 되었다. 밤늦도록 음악을 들으면서 학생들의 논문을 교정하기도 하고 귀마개를 꽂은 채 오후 늦게까지 잠을 자기도 했다. 하루에 한 끼만 먹었는데 그마저도 집 앞에 있는 식당에서 해결했다.

얼마 지나지 않아 내 행동과 기분과 외모에도 변화가 찾아왔다. 언젠가부터 지나치게 아둔하거나 지나치게 똑똑한 학생들이 거슬리지 않았다. 어느 날 저녁에는 몇 년 동안 친하게 지내며 아주 가끔 잠자리를 함께해온 동료가 의아해하면서 내가 전에 비해 집중력이 좋아지고 여유가 생겼다고 했다.

불과 몇 달 만에 나는 젊은 시절의 날씬한 몸매를 되찾았다. 온몸에 온화한 기운이 솟아오르면서 머릿속도 정리가 되는 것 같았다.

어느 날 밤 나는 거울 속에 내 모습을 비춰보았다. 내 나이는 마흔일곱이었고 4개월 후면 마흔여덟이 될 터였다. 세월의 흔적이 마법처럼 내 몸에서 지워져버린 것 같았다. 기분이 좋다고 콕 집어 말할 수 있을지는 모르겠지만 확실히 놀랍기는 했다.

그렇게 오랜만에 기분 좋은 만족감을 만끽하는 중에 6월을 맞았다. 문득 휴가 가고 싶은 마음이 생겼다. 나는 시험 기간이 끝나고 귀찮기 짝이 없는 행정 업무를 처리한 다음 바다에 가기로 마음먹었다. 인터넷으로 후보지를 물색하고 사진과 가격을 꼼꼼히 살핀 후 7월 중순부터 8월 말까지 이오니아 해안에 있는 작은 집을 꽤 저렴한 값으로 빌려두었다. 실제로 내가 그곳으로 떠난 것은 7월 24일이 되어서였다.

나는 다음 학기 수업에 필요한 책을 차에 잔뜩 싣고 편안한 마음으로 길을 나섰다. 날씨는 쾌청했고 열린 차창으로 건조한 여름 내음이 진하게 밀려 들어왔다. 해방감을 느끼면서도 죄책감은 들지 않았다.

자동차에 기름을 넣을 때 갑자기 불안감이 엄습했다. 나는 원래 바다를 좋아했지만 15년 전부터는 일광욕을 하면 신경이 날카로워지고 쉽게 지쳤다. 빌린 집은 보나마나 형편없을 것이다. 풍경이라고 해봤자 초라하고 빈곤한 촌락 사이로 멀리 보이는 손바닥만 한 크기의 푸른 바다가 전부일 것이다. 무더운 날씨와 심야 주점의 시끄러운 음악소리 때문에 잠을 이루지 못할 것이다.

가는 내내 기분이 우울했다. 그냥 집에 있었다면 여름 내내 조용한 아파트에서 시원한 에어컨 바람을 쐬면서 편히 작업할 수 있었을 거라는 생각이 머릿속을 떠나지 않았다.

나는 해질 녘에야 목적지에 도착했다. 아담하고 예쁜 마을이었다. 동네 사람들의 목소리가 경쾌했고 공기에서 좋은 향기도 묻어났다.

목적지에 도착하자 백발이 무성한 노인이 나를 기다리

고 있었다. 노인은 매우 정중하고 예의 발랐다. 바에서 커피도 한 잔 사주고 미소를 지으며 단호한 태도로 내가 가방에 손도 대지 못하게 했다. 그는 내 짐을 짊어지고 숨을 헐떡이면서 4층 건물 꼭대기까지 올라가 작은 옥탑방 문 앞에 짐을 내려놓았다. 옥탑방에는 침실과 욕실로 이어지는 어둡고 작은 부엌, 커다란 창문이 달린 거실과 테라스가 있었다. 황혼 녘 테라스 너머 울퉁불퉁한 암초로 이루어진 해안과 바다 전경이 펼쳐졌다.

노인의 이름은 조반니였다. 집주인이 아니라 관리인이나 자질구레한 일을 도맡아하는 집사 같은 사람이었는데도 내 팁을 받지 않았다. 환영의 의미로 보인 선의를 몰라주자 되레 기분이 상한 것 같았다.

조반니는 몇 번이나 모든 것이 마음에 드는지 물은 다음에야 자취를 감췄다. 거실 탁자에는 복숭아며 자두, 배, 포도, 무화과를 가득 담은 커다란 쟁반이 놓여 있었다. 쟁반이 정물화로 그린 것처럼 반짝였다.

나는 등나무 의자를 들고 테라스로 나가 잠시 저녁이 내리는 바다의 풍경을 바라보았다. 지난 몇 년 동안 나는 두 딸만을 위해 휴가를 갔고 딸들이 커서 자기 친구들과 함께 세계 곳곳을 누비기 시작하고 나서부터는 집에 남아 그애들이 오기만을 기다렸다.

기다리는 동안 걱정되는 것은 비행기 사고나 선박 사고, 내전과 지진, 해일 같은 온갖 종류의 재난만이 아니었다. 나는 유달리 예민한 딸들의 유약한 성격 때문에 불안했다. 같이 여행간 친구들 간에 일어날 수 있는 갈등 때문에 힘들어 할까봐, 너무 쉽게 눈이 맞아 사랑에 빠지거나 상대방의 무반응에 상처받고 감정적으로 동요할까봐 걱정이 되었다.

나는 딸들이 언제든 도움을 요청해도 받아들일 수 있는 준비된 엄마이고 싶었다. 내 일에 정신이 팔려서 자식들에게 집중하지 못하고 존재감이 없었던 내 본모습 때문에 비난받을까봐 두려웠다.

이런 생각을 떨쳐버리자고 마음먹고 나는 자리에서 일어나 샤워 하러 욕실로 들어갔다.

샤워를 마친 후 허기가 져서 과일이 담겨 있는 쟁반 쪽으로 갔다. 가까이에서 보니 언뜻 보기에 먹음직스러워 보였던 무화과와 배, 자두, 복숭아, 포도가 실은 오래됐거나 너무 물렀다는 사실을 알게 되었다. 칼로 까맣게 썩은 부분을 크게 도려냈지만 냄새도 맛도 역해서 과일을 모두 쓰레기통에 던져버렸다. 식당을 찾아 밖에 나갈 수도 있었지만 너무 피곤해서 뭔가를 먹어야겠다는 생각을 접었다. 졸음이 몰려왔다.

침실에는 커다란 창문이 두 개 있었다. 나는 창문을 모두 활짝 열어젖히고 불을 껐다. 이따금 등대 불빛이 어둠을 뚫고 침실로 쏟아져 들어와 잠시 머물다 나갔다. 밤에 낯선 곳에 도착하는 일은 되도록 피하는 것이 좋다. 모든 것의 경계가 모호해지고 사물이 과장되어 보이기 때문이다.

나는 목욕가운을 입고 젖은 머리로 침대에 누워 등대 불빛에 하얗게 변한 천장을 바라보면서 멀리서 들려오는 모터보트 소리와 고양이 울음소리 같은 가냘픈 노랫소리에 귀를 기울였다. 나를 구성하는 경계가 허물어지는 것 같았다. 졸음에 취해 몸을 뒤척이는데 베개 위로 얇은 종이 같은 차가운 물체가 얼굴에 닿았다.

불을 켜보니 새하얀 베개 커버 위에 3~4센티미터쯤 되어 보이는 긴 벌레가 있었다. 언뜻 보기에는 커다란 파리처럼 보였다. 얇은 막 같은 날개가 달린 짙은 갈색 벌레는 베개 위에서 꼼짝도 하지 않고 앉아 있었다.

'매미인가 보네. 베개 위에서 배가 터졌나봐.'

목욕가운 자락으로 살짝 건드리자 벌레는 움직이는 듯하다가 바로 움직임을 멈췄다. 수컷일까 암컷일까. 암컷의 배를 형성하는 막은 탄력이 없어서 노래를 부르지 못한다. 암컷은 벙어리다. 매미는 올리브 나무를 찌르고 야생 물푸레나무 수액을 흐르게 한다. 그런 장면을 떠올리자 순간 혐오감이 치밀어 올랐다. 나는 조심스레 베개를 들어올려 벌레를 창문 밖으로 떨쳐버렸다. 내 휴가는 그렇게 시작되었다.

3

다음 날 나는 수영복과 수건, 책과 서류 복사본과 공책 등을 가방에 넣고 편하게 쉴 수 있는 바다와 해변을 찾아 해안 도로를 따라 차를 몰았다. 20분 정도 가다가 도로 오른쪽에 소나무 숲과 주차장 표시가 보여 차를 세웠다. 나는 소지품을 들고 가드레일을 넘어 바늘처럼 뾰족한 솔잎에 찔려 붉게 변한 오솔길 쪽으로 걸음을 옮겼다.

나는 송진 냄새를 매우 좋아한다. 어린 시절, 그러니까 카모라의 만행으로 모래사장이 시멘트에 뒤덮여 완전히 사라지기 전까지만 해도 나는 해변에서 여름을 보내곤 했다. 소나무 숲이 끝나는 지점부터 해변이 펼쳐졌기에 내게 송진 냄새는 여름방학의 냄새였다.

송진 냄새를 맡으면 유년 시절 여름철 놀이가 떠올랐다. 바싹 마른 솔방울이 바스락거리는 소리나 솔방울이 나무에서 툭하고 떨어지는 소리를 듣거나 잘 익은 잣을 볼 때면 잣 껍질을 깨서 노란 빛이 감도는 알맹이를 빼내 동생들과 내게 나눠주면서 웃던 어머니의 입이 생각났다.

잣 달라고 호들갑 떠는 동생들과는 달리 나는 어머니가 잣을 줄 때까지 조용히 기다렸다. 가끔 어머니는 내게 너무 수줍어하면 안 된다는 교훈을 주기 위해 "네 것은 없다. 넌 정말이지 설익은 솔방울보다 숫기가 없구나"라며 입술에 시꺼먼 먼지를 묻혀가면서 잣을 낼름 먹어버렸다.

숲은 소나무로 무성했다. 나무 밑에는 덤불이 어지러이 뒤엉켜 있었고 나무 기둥은 거센 바닷바람에 떠밀려 뒤로 쓰러질 것 같았다. 바다에서 다가오는 무엇인가가 두려워 뒤로 넘어갈 것 같은 형상이었다.

나는 오솔길을 가로질러 뻗은 반질반질한 나무뿌리에 걸려 넘어지지 않도록 조심히 걸었다. 내가 지나갈 때마다 먼지투성이 도마뱀이 그늘 위에 생긴 얼룩 같은 양지를 떠나 숨을 곳을 찾아 도망쳤다. 나는 징그러움을 애써 참았다.

5분도 채 가지 않아 모래언덕과 바다가 나타났다. 나는 모래 위로 솟아난 유칼립투스의 비틀린 나무기둥을 지나쳐 초록빛 갈대와 협죽도 사이에 난 나무 길을 따라 깔끔해 보이는 비치하우스에 도착했다.

비치하우스는 한눈에 마음에 들었다. 계산대에 있는 거무튀튀한 남자의 친절한 태도와 근육이라고는 하나도 없는 젊은 직원의 온순한 태도에 마음이 놓였다. 티셔츠에 빨간 반바지를 입은 키가 크고 비쩍 마른 청년은 나를 파라솔로 안내해주었다. 모래가 하얀 가루 같았다.

나는 수정처럼 맑은 물에서 한참 동안 수영한 뒤 잠시 햇볕을 쪼였다. 그런 다음 파라솔 아래서 책을 읽으면서 노을이 질 때까지 선선한 바람과 변화무쌍한 바다의 전경을 즐기면서 편안하게 작업에 몰두했다. 그날 나는 작업도 하고 백일몽을 꾸기도 하고 여유로움을 즐기기도 하면서 평온한 하루를 보냈고 휴가 기간 내내 그곳에 자리 잡기로 마음먹었다.

일주일도 채 되지 않아 모든 것이 평온한 일상의 일부가 되었다. 나는 매일 소나무 숲을 가로질렀다. 나는 햇살에 여문 솔방울이 끼익끼익 벌어지는 소리가 좋았다. 은매화인 것으로 보이는 식물의 작은 녹색 잎에서 나는 향과 나무 기둥에서 떨어진 유칼립투스 껍질도 좋았다.

나는 오솔길을 걸으면서 소나무 숲의 겨울 풍경을 상상했다. 안개 속에 얼어붙은 소나무와 빨간 열매가 열린 금작화가 떠올랐다. 비치하우스에 도착하면 계산대의 남자는 반가워하면서 언제나 나를 정중하게 맞이해주었다.

나는 매일 바에 들러 커피 한 잔과 물 한 잔을 마셨다. 비치하우스에서 일하는 청년의 이름은 지노였다. 지노는 한눈에도 학생처럼 보였다. 그는 민첩한 동작으로 내게 파라솔과 선배드를 펼쳐주고는 그늘로 돌아가 입을 크게 벌리고 공부에 열중하는 눈빛으로 무슨 시험이라도 준비하는지 연필로 두꺼운 책에 줄을 긋기 시작했다.

지노를 바라보고 있다 보면 왠지 마음이 애틋해졌다. 평상시에는 젖은 몸을 햇볕에 말리며 꾸벅꾸벅 졸기 일쑤

였지만 가끔은 자지 않고 지노가 눈치채지 못하게 실눈을 뜨고 호감 어린 시선으로 그를 관찰하곤 했다. 성격이 차분한 것 같지는 않았다. 그는 민감해 보이는 멋진 몸을 비비 꼬면서 새까만 머리를 손으로 헝클어뜨리고 턱을 만지작거렸다. 딸들이 좋아할 만한 타입이었다. 내 취향인지는 잘 모르겠지만 호리호리하고 예민한 청년에게 쉽게 반하는 마르타가 특히 좋아할 만한 스타일이었다.

순간 내가 딸들에 대해서는 모르는 것이 없지만 정작 나 자신에 대해서는 별로 아는 바가 없다는 사실을 깨달았다. 지노만 해도 그렇다. 그 순간 나는 비앙카와 마르타의 경험을 기준 삼아 그를 바라보고 있었다. 내가 추측한 딸들의 취향과 열정에 따라 그를 바라보고 있는 것이다.

지노는 시각과는 별개로 작동하는 감각이 있는 것처럼 공부를 하다가도 내가 선배드를 햇볕에서 그늘로 옮기려고 움직이면 벌떡 일어나 도움이 필요한지 물었다. 나는 미소를 지으며 고개를 가로저었다. 선배드 옮기는 것이 무슨 대수란 말인가. 마감에 쫓기지 않고 급히 처리할 일도 없이 그저 지금처럼 안정감을 느낄 수만 있다면 아무래도 상관이 없다. 보살필 사람이 없으니 드디어 나 자신에 대한 부담도 사라진 것이다.

4

어린 딸과 젊은 엄마가 내 눈에 들어온 것은 해변에 도착한 지 한참이 지난 후였다. 해변에 도착한 날부터 모녀가 그곳에 있었는지 아니면 그다음에 온 것인지는 잘 모르겠다. 해변에 도착한 지 사나흘이 지나고 나서야 나는 다소 소란스러운 나폴리 가족의 존재를 눈치챘다. 가족들 중에는 어른들도 있고 아이들도 있었다. 인상이 고약해 보이는 60대 남자와 물속에서나 모래사장에서나 장소를 가리지 않고 허구한 날 맹렬히 다투는 사내아이 네다섯 명, 마흔이 조금 안 되어 보이는 다리가 짧고 가슴이 커다란 덩치 큰 여자가 있었다. 여자는 비키니 수영복 사이로 커다란 아치 모양으로 볼록 솟은 임신한 배를 드러낸 채 해변과 바를 힘겹게 오갔다.

할아버지, 할머니, 아버지, 어머니, 아들, 손자, 사촌에서 시누이, 시동생까지 그들은 모두 혈연관계로 얽혀 있는 것 같았다. 나폴리 사람들은 시끄럽게 웃어대며 째지는 소리로 서로의 이름을 부르고 감탄사를 연발했다. 그들은 은밀한 말을 주고받기도 하고 가끔은 티격태격 다퉜다. 엄청난 대가족이었다. 어린 시절 나 역시 그런 대가족의 일원이었다. 우리 가족도 저들처럼 농담하고 감성적으로 행동하고 화를 내곤 했다.

어느 날 책을 읽다 고개를 들었는데 처음으로 젊은 여인과 어린 여자아이가 눈에 들어왔다. 둘은 해안에서 파라솔로 돌아오는 중이었다. 스무 살도 채 안 되어 보이는 여인은 고개를 숙이고 있었고 서너 살 정도 되어 보이는 아이는 고개를 들고 엄마를 홀린 듯 바라보고 있었다. 아이는 엄마가 아이를 안듯이 품에 인형을 꼭 안고 있었다. 모녀는 이 세상에 오직 자기들만 존재하는 것처럼 조용히 이야기를 나눴다.

임신한 여자가 파라솔에서 모녀를 향해 화난 목소리로 뭐라 외쳤고 젊은 여인의 어머니로 보이는 쉰 살 남짓한 여자는 뭔가 못마땅한 듯 불만스럽게 손짓을 했다. 나이든 여자는 반백에 뚱뚱했고 수영복 대신 옷을 입고 있었다. 하지만 젊은 여인은 귀머거리에 장님처럼 아이에게 시선을 고정한 채 바다에서부터 일정한 보폭으로 모래에

검은 발자국을 남기며 걸어왔다.

젊은 여인과 아이도 소란스런 대가족의 일원이었지만 멀리서 볼 때 여인은 그들과는 이질적인 존재처럼 보였다. 알 수 없는 이유로 유전의 법칙을 피해간 것 같았다. 어린 시절 납치되었거나 요람에서 뒤바뀌었지만 시간이 너무 많이 흘러서 주변 사람들을 닮게 된 범죄나 사고의 희생자 같았다.

그녀는 늘씬한 몸매에 세련된 원피스 수영복 차림이었다. 가녀린 목에 얼굴형이 아름다웠고 구불구불한 머리는 길고 윤기가 흘렀다. 광대뼈가 튀어나오고 눈썹은 짙고 눈이 살짝 올라가 인도 사람처럼 보였다.

그때부터 나는 가끔 습관처럼 모녀를 쳐다보았다.

뭐라 꼭 집어 말할 수는 없지만 아이는 문제가 있어 보였다. 어린아이 특유의 우울한 감성 때문인 것 같기도 했고 증상이 드러나지 않는 병이 있는 것 같기도 했다. 아이는 시도 때도 없이 엄마에게 함께 있어달라는 표정을 지었다. 눈물을 흘리지도 않고 짜증도 내지 않는 아이의 애원을 엄마도 마다하지 않았다.

한번은 엄마가 아이에게 로션을 발라주는 모습을 본 적

이 있는데 무척 꼼꼼하게 발라주는 손길이 기억에 남는다. 또 한번은 모녀가 함께 물에서 노는 광경을 봤는데 시간이 멈춘 듯 여유로운 모습이 인상적이었다. 엄마는 아이를 품에 안고 있었고 아이는 그런 엄마의 목을 팔로 꼭 껴안고 있었다. 둘은 서로의 몸이 맞닿는 쾌감을 만끽하면서 코를 비비기도 하고 입으로 물줄기를 내뿜기도 하고 마주보고 웃으며 입을 맞추기도 했다.

언젠가 둘이 인형놀이 하는 모습을 본 적도 있는데 모녀는 인형 옷을 입고 벗기며 너무 재미있어 했다. 인형에게 가짜로 선크림을 발라주고 녹색 양동이 속에 넣고 수영을 시키다 감기에 걸리지 않도록 몸을 닦아주었다. 둘은 인형을 가슴에 안고 젖을 먹이고 모래로 만든 이유식을 배불리 먹이고 자신들의 수건 위에 올려놓고 엎드린 자세로 선탠을 시켰다. 젊은 여인은 원래도 아름다웠지만 어머니로서 뭔가 특별한 면이 있었다. 오직 딸만 바라보고 사는 것 같았다.

그렇다고 여인이 다른 식구들과 어울리지 못하는 것은 아니었다. 여인은 임신한 여자와 쉴 새 없이 이야기를 나눴고 사촌들로 보이는 햇볕에 새까맣게 그을린 자기 또래의 청년들과 카드놀이도 하고 그녀의 아버지일 수도 있을 것 같은 인상이 고약한 나이든 남자나 여인의 자매, 사촌, 시누이들로 보이는 다른 젊은 여자들과 해안을 따라 산책을 하기도 했다.

언뜻 봐도 여인의 남편이나 아이 아빠처럼 보이는 사람은 없었다. 대신 식구들 모두 젊은 엄마와 어린 딸을 다정하게 돌봐주고 있다는 것이 느껴졌다. 반백의 뚱뚱한 오십대 여자는 아이를 바에 데려가 아이스크림을 사주곤 했다. 사내아이들은 아이가 날카롭게 소리를 지르면 싸움을 멈추고 툴툴대면서도 물이나 음식 등 아이에게 필요한 것은 뭐든 가져다주었다.

모녀가 빨간색과 파란색으로 칠한 작은 보트를 타고 조금만 해안에서 멀어져도 임신한 여자는 "니나! 레누! 니네타! 레나!" 하고 젊은 엄마와 아이의 이름을 목이 터져라 불러댔다. 여인이 숨을 헐떡이면서 해안을 향해 달음박질치면 비치하우스의 젊은 청년까지 덩달아 긴장해서 무슨 일인지 보려고 자리에서 일어났다. 한번은 두 사내가 아이 엄마에게 말을 걸려고 다가가자 그 즉시 그녀의 사촌들이 두 사내를 밀치고 욕설을 퍼부어대는 바람에 주먹다짐이 일어날 뻔했다.

나는 얼마 동안 니나니 니누니 니네니 하는 이름이 아이 엄마 이름인지 아니면 아이 이름인지 몰랐다. 애칭이 너무 많은 데다 여러 사람의 목소리가 뒤섞이는 바람에 확인하기가 힘들었다. 그러다 그들의 말소리와 외치는 소리를 허구한 날 듣다보니 니나가 아이 엄마 이름이라는 것을 알게 되었다.

아이의 이름을 이해하기는 더 힘들었다. 처음에는 아이 이름을 잘못 생각했다. 나니, 네나, 넨넬라라는 이름이 아이를 부르는 애칭이라고 생각했는데 나중에 알고 보니 모두 아이가 항상 끼고 다니는 인형 이름이었다. 니나도 그 인형을 자기 둘째 딸이라도 되는 것처럼 보살피면서 진짜 아이처럼 대했다. 실제로 아이 이름은 엘레나 또는 레누였다. 아이 엄마는 딸을 항상 엘레나라고 불렀고 친척들은 레누라고 불렀다.

엘레나, 나니, 네나, 레니… 나는 나도 모르게 공책에 그 이름들을 적어두었다. 아마도 니나가 그 이름들을 부르는 소리가 마음에 들어서였던 것 같다. 니나는 엘레나와 나니에게 듣기 좋은 사투리가 섞인 억양으로 말을 걸었다.

나폴리 사투리지만 내가 좋아하는 억양이었다. 니나의 사투리에 귀를 기울이고 있노라면 어린 시절의 놀이와 달콤한 추억이 떠올라 마음이 애틋해졌다.

나는 니나의 억양에 빠져들었다. 언어는 은밀한 독을 품고 있어서 이따금씩 부글부글 거품이 일곤 한다. 그럴 때는 해독제가 없다. 나는 어머니의 사투리에서 부드러운 억양이 사라지고 불만에 가득 차서 우리에게 악을 써대던 그때를 기억한다.

"도저히 못 참겠다. 너희들을 어찌해야 할지 모르겠어."

어머니는 명령을 내리고 고함을 지르고 욕설을 퍼부었는데 그럴 때면 어머니의 삶이 어머니가 쓰는 언어에까지 영향을 미치는 것 같았다. 신경이 곤두설 대로 곤두서서 약간의 자극에도 너무나 고통스러워 자제력을 잃을 것만 같았다.

어머니는 몇 번이나 우리를 버리고 떠나겠다고 위협했다. 아침에 일어나 보면 자기는 떠나고 없을 거라고 했다. 나는 매일 아침 눈을 뜰 때마다 어머니가 사라졌을까봐 두려워하곤 했다. 어머니는 실제로는 항상 우리 곁에 있었지만 말로는 계속해서 집을 떠났다. 그런 내 어머니에 비해 젊은 아이 엄마 니나는 평온해 보였고 나는 그런 그녀의 모습을 바라보면서 부러움을 느꼈다.

5

휴가 첫 주가 눈 깜짝할 사이에 끝나가고 있었다. 쾌청한 날씨에 산들바람이 불고 파라솔은 대부분 아직 비어 있었다. 이탈리아 전역에서 찾아온 사람들의 온갖 사투리가 현지 사투리와 뒤섞여 들려왔고 간간이 햇볕을 즐기는 외국인들의 낯선 언어도 들려왔다.

토요일이 되자 해변은 인파로 북적였다. 아이스박스와 물통, 모래 삽, 부낭과 튜브, 라켓 따위가 내가 쉬거나 햇볕을 쬐던 그늘 밑을 차지했다. 나는 책 읽기를 포기하고 시간을 때울 구경거리를 찾는 사람처럼 인파 속에서 니나와 엘레나의 모습을 찾기 시작했다.

한참을 두리번거린 후에야 나는 모녀가 선배드를 해변 가까이로 옮긴 것을 알아챘다. 니나는 엎드려 햇볕을 쬐고 있었고 그 옆에는 인형이 니나와 똑같은 포즈를 취하고 있는 것 같았다. 아이는 노란색 플라스틱 물뿌리개에 바닷물을 떠서 두 손으로 들고 낑낑대면서 엄마에게 돌아갔다. 아이는 숨을 헐떡이면서도 웃으며 자기 엄마 몸에 물을 뿌려 햇볕에 달아오른 몸의 열기를 식혀주었다. 물통이 비면 아이는 다시 바다로 가 물을 채웠다. 아이는 똑같은 길을 따라가서 똑같이 낑낑대면서 돌아와 똑같이 물을 뿌리며 놀았다.

간밤에 잠을 제대로 자지 못해서인지 아니면 나도 모르게 기분 나쁜 생각이 스쳐갔는지 그날 아침 따라 모녀의 모습이 어딘지 거슬렸다. 엘레나는 미련하게 보일 정도로 기계적으로 똑같은 일을 반복했다. 아이는 먼저 엄마의 발목에 물을 뿌리고 인형의 발목에도 물을 뿌린 다음 엄마와 인형에게 그만하면 충분한지 물었고 둘 다 그렇지 않다고 대답하면 기다렸다는 듯이 물을 뜨러 갔다. 니나는 니나대로 남의 시선을 너무 의식하는 것처럼 보였다. 니나는 즐거워하며 고양이처럼 가르릉거렸다. 니나는 목소리를 바꿔서 인형이 말하는 것처럼 "더 뿌려줘, 더"라고 속삭였다. 나는 니나가 딸을 사랑해서가 아니라 남녀노소를 가리지 않고 해변의 모든 사람에게 젊고 아름다운 엄마의 역할을 과시하고 싶어서 그러는 것이 아닌가 하는 의구심이 들었다.

니나와 인형은 오랫동안 엘레나의 물세례를 받았다. 니나는 물에 젖어 온몸이 반짝였다. 물뿌리개에서 뿜어져 나오는 눈부신 바늘 같은 물줄기가 니나의 머리카락을 적셔 머리가 이마에 딱 달라붙었다. 아이는 인형을 나니, 닐레, 네나라고 부르면서 끈질기게 물을 뿌렸지만 물이 잘 흡수되지 않아 파란색 플라스틱 선배드 아래로 흘러내려 모래를 새까맣게 물들였다.

나는 아이가 부지런히 오가는 모습을 바라보다가 왠지 모르게 심기가 뒤틀렸다. 뭣 때문인지는 몰랐다. 둘이 물놀이하는 모습이 마음에 들지 않았을 수도 있고 햇볕 아래 자신의 쾌락을 한껏 과시하는 니나의 모습 때문일 수도 있다. 아니면 목소리 때문일 수도 있다. 그렇다. 목소리 때문이다. 나는 모녀가 인형이 말하듯 내는 목소리가 특히나 거슬렸다. 둘은 번갈아가면서 인형 목소리를 내거나 입을 모아 함께 인형 목소리를 냈는데 그때마다 엄마는 어린아이 목소리를 흉내 냈고 아이는 어른 목소리를 흉내 냈다. 둘은 실제로는 벙어리인 인형의 입을 통해서 하나의 목소리를 낸다고 상상하고 있었다.

나는 그들의 환상에 동참하지 못했다. 엄마와 딸의 목소리가 이중으로 겹쳐지는 것을 듣고 있자니 혐오감이 커져갔다. 물론 나는 먼 곳에서 그들을 바라보고 있을 뿐이었다. 그 모녀가 뭘 하고 놀든 내겐 상관없는 일이었다. 그들의 모습을 계속 바라볼 수도 있었고 아예 관심을 끌 수도 있었다. 어차피 심심풀이 구경거리일 뿐이니까. 그런데도 나는 뭔가 못 볼 것을 본 것처럼 마음이 불편했다. 어이없게도 내 일부는 모녀가 인형에게 엄마의 목소리든 딸의 목소리든 안정적이고 변하지 않는 하나의 목소리만을 내주기 원했다. 두 목소리가 한 목소리인 척하기를 그만두었으면 했다.

가벼운 통증도 자꾸 신경 쓰다보면 참을 수 없는 고통으로 변할 때처럼 나는 지치기 시작했다. 어느 순간 자리에서 일어나 모녀가 놀고 있는 선배드까지 모로 걸어가 이제 그만두라고, 둘 다 제대로 놀 줄 모른다고, 멈추라고 말하고 싶었다. 나는 도저히 참을 수 없어서 정말 그럴 마음으로 자리에서 일어났다. 그러나 실제로는 아무 말도 하지 못했다. 나는 시선을 앞으로 고정하고 두 사람 사이를 지나쳐 갔다.

'너무 더워서 그런 거야. 나는 원래 하나같이 비슷한 억양으로 말하고 같은 목적을 가지고 똑같은 행동을 하는 사람들로 붐비는 곳을 싫어했으니까.'

나는 나의 갑작스러운 신경과민을 혼잡한 주말 해변 탓으로 돌리고 발에 물을 적시러 바다로 갔다.

6

정오쯤 새로운 사건이 일어났다. 비치하우스에서 시끄러운 음악소리가 들려왔다. 그늘 아래서 설핏 잠이 들었는데 임신한 여자가 뭔가 굉장한 소식이 있는 것처럼 니나를 부르는 소리가 들렸다.

눈을 떠보니 니나는 딸을 품에 안고 눈에 띄게 기뻐하며 내 뒤에 있는 무언가를 향해 손가락질하고 있었다. 고개를 돌려보니 작고 다부진 체격에 꽤나 살집이 있는 남자가 서 있었다. 서른에서 마흔 살쯤 되어 보였고 머리는 완전 삭발이었다. 그는 녹색 수영복 바지 위로 튀어나온 두툼한 뱃살을 몸에 딱 달라붙는 검은 티셔츠로 가리고 나무로 만든 길을 따라 걸어오고 있었다.

아이는 남자를 알아보고 안절부절못하며 손을 흔들어 보였다. 아이는 웃으면서 엄마의 목과 어깨 사이로 찡그린 얼굴을 감췄다. 남자는 한결같은 진지한 표정으로 아이를 향해 살짝 손을 흔들어주었다. 눈매가 매섭고 잘생긴 얼굴이었다. 그는 멈춰 서서 비치하우스 주인과 여유롭게 인사를 나눈 뒤 자기를 보고 잽싸게 쫓아온 지노의 뺨을 다정스레 토닥여주었다.

그가 걸음을 멈추자 그를 뒤따르던 한 무리의 쾌활한 청년들도 일제히 걸음을 멈췄다. 청년들은 이미 수영복 차림이었다. 배낭을 메기도 했고 아이스박스를 들기도 했다. 상자를 두세 개 들기도 했다. 리본과 끈이 달린 것으로 보아 선물 상자인 것 같았다.

마침내 남자가 해변에 이르자 니나는 아이를 데리고 그에게 다가갔다. 그 바람에 작은 행렬은 또다시 멈춰 섰다. 남자는 한결같이 진지한 표정을 바꾸지 않고 절제된 동작으로 먼저 엘레나를 니나의 품에서 넘겨받았다. 엘레나는 남자의 목에 꼭 매달려 그의 두 뺨에 다소 불안한 표정으로 뽀뽀 세례를 퍼부었다. 남자는 한쪽 뺨을 딸에게 맡긴 채 니나의 목덜미를 잡고 억지로 끌어당기다시피 그녀의 몸을 굽히게 한 뒤—니나는 사내보다 적어도 10센티미터는 커 보였다—스치듯 그녀의 입술에 입을 맞췄다. 그의 절제된 태도 속에 니나를 자신의 소유물로 생각하는 주인 같은 태도가 느껴졌다.

나는 엘레나의 아빠이자 니나의 남편이 도착했다는 것을 알게 되었다. 나폴리 사람들은 잔치라도 벌인 것처럼 남자 주변으로 몰려들었고 그 바람에 내 파라솔 앞까지 북적거렸다. 나는 아이가 선물 포장지를 뜯는 모습과 니나가 보기 흉한 밀짚 모자를 써보는 모습을 지켜보았다.

순간 남자가 손으로 바다를 가리켜 보였다. 그곳에는 하얀 모터보트가 있었다. 인상이 고약한 노인과 사내아이들, 반백의 뚱뚱한 여자와 니나의 사촌들로 보이는 남자들과 여자들이 우르르 해안으로 몰려가 모터보트를 향해 팔을 흔들고 소리를 지르며 인사했다. 보트는 빨간 부표들을 이어놓은 부표선을 지나 피서객 사이를 지그재그 모양으로 가로지르며 하얀 부표선 넘어 모터를 켠 채 수심이 일 미터도 되지 않는 얕은 해안에 이르렀다. 그곳에는 어린아이들과 노인들이 모여 수영을 하고 있었다.

얼굴이 초췌한 뚱뚱한 사내들과 졸부처럼 보이는 여자

들, 살이 뒤룩뒤룩 찐 남자아이들이 보트에서 뛰어내렸다. 포옹과 입맞춤을 주고받는 가운데 니나의 모자가 바람에 벗겨지자 그녀의 남편은 아이를 품에 안고서도 모자가 바다에 떨어지기 전에 재빨리 낚아채 아내에게 돌려주었다. 꼼짝하지 않고 가만히 있다가 위험을 감지하는 순간 예기치 않게 힘차고 단호한 동작으로 펄쩍 뛰어오르는 모습이 동물 같았다. 니나는 남편이 돌려준 모자를 꼼꼼하게 머리에 눌러 썼다. 아까와는 달리 갑자기 모자가 예뻐 보였다. 하지만 나는 왠지 모를 극심한 불안감을 느꼈다.

주변은 갈수록 어수선해졌다. 새로 도착한 사람들은 대놓고 파라솔 배치에 실망감을 나타냈다. 니나의 남편이 지노를 불렀고 뒤이어 비치하우스 주인도 도착했다. 보아하니 먼저 자리 잡고 있던 가족과 모터보트를 타고 합류한 가족이 모여 있고 싶어 하는 것 같았다. 그들은 선배드와 의자, 먹거리들을 한군데 쌓아놓고 어른 아이 할 것 없이 다 함께 모두 즐겁게 모여 있을 수 있는 그들만의 가지런한 참호를 만들고 싶었던 것이다.

그들은 내 파라솔 가까이에 있는 빈 파라솔 두 개를 가리켜 보였다. 다들 이야기를 주고받으면서 제스처를 많이 썼는데 그중에서도 임신한 여자가 제일 심했다. 그녀가 갑자기 주변 사람들에게 자리를 옮겨달라고 말하고 다니기 시작했다. 영화관에서 자리를 좀 옮겨달라고 부탁하는 것처럼 이 파라솔에서 저 파라솔로 돌아다니면서 부탁을 했다.

이내 놀이가 시작된 듯한 분위기가 형성됐다. 피서객들은 모두 망설였다. 소지품을 챙겨서 자리를 옮기고 싶지 않았던 것이다. 하지만 나폴리 가족들이 어른 아이 할 것 없이 모두 나서서 정중한 태도로 부탁하자 대부분의 사람들이 흔쾌히 자리를 양보해주었다.

나는 책을 펼쳐들었지만 내면 깊숙한 곳에서부터 복잡하게 뒤엉킨 씁쓸한 감정이 치밀어 올랐다. 주변에서 들려오는 소음이나 사물의 색상과 냄새 같은 모든 감각적인 자극이 그런 내 감정과 충돌하면서 씁쓸함은 커져만 갔다.

나는 나폴리에서 온 대가족이 거슬렸다. 사실 나도 그런 환경에서 태어났다. 내 이모와 삼촌, 사촌들과 아버지도 그들과 다르지 않았다. 그들의 정중한 태도 속에는 위압적인 분위기가 내재되어 있었다.

내 가족은 격식을 따지는 사람들이었다. 평소에는 매우 사교적이었지만 부탁이 있으면 가식적인 유머로 살짝 포장만 했을 뿐 사실상 명령을 내리듯 했다. 필요하다고 생각하면 얼마든 천박한 욕설을 퍼붓거나 난폭해질 수 있는 사람들이었다. 어머니는 우리 아버지와 친척들의 그런 천민 근성을 부끄러워했고 그들과는 다른 사람이 되려고 했다. 어머니는 그런 환경 속에서 최대한 행실이 바르고 세련된 부인의 배역을 연기하려 했다.

하지만 조금만 갈등의 조짐이 있어도 그런 어머니의 가면에는 금이 갔고 어머니 역시 아버지와 친척들 못지않게 난폭하게 그들의 행동과 언어를 따라 했다. 그럴 때면 나는 놀라움과 실망감을 동시에 느끼면서 그런 어머니의 모습을 관찰하곤 했다. 절대 어머니를 닮지 않겠다고 다짐했다.

나는 정말로 어머니와는 다른 사람이 될 거라고 다짐했다. 그렇게 해서 다시는 자기를 못 볼 거라는 못된 말로 우리를 두렵게 해봤자 소용이 없다는 사실을 어머니에게 증명해 보이고 싶었다. 정말로 식구들과는 다른 사람이 되든가 아니면 정말로 우리를 버리고 집을 떠나 영영 사라져버리는 편이 나았을 것이라고 증명하고 싶었다.

과거에 어머니 때문에 얼마나 괴로웠던가. 또 어머니 때문에 괴로워하는 나 자신 때문에 얼마나 괴로웠던가. 나는 내가 그렇게나 불만으로 가득 찬 어머니의 몸에서 나왔다는 사실이 수치스러웠다. 어수선한 해변에 앉아 그런 생각을 하다 보니 신경만 더 날카로워졌다. 희미한 불안감이 엄습해오고 나폴리 사람들의 태도에 대한 반감이 커져만 갔다.

그 와중에 피서객들의 대이동에 차질이 생겼다. 임신한 여자의 말을 못 알아듣는 가족이 있었던 것이다. 언어가 다른 외국인들이었는데 자신들의 파라솔 아래 머무르고 싶어 했다. 아이들이 이야기를 해보기도 하고 새까맣게 피부를 태운 사촌들과 인상이 고약한 노인까지 나섰지만 소용없었다. 지노와 이야기를 하던 나폴리 사람들이 내 쪽을 쳐다보더니 지노와 임신한 여자가 자기들이 무슨 대표 사절단이라도 되는 것처럼 내게 다가왔다.

지노는 민망해하면서 외국인 가족이 있는 쪽을 가리켰다. 엄마와 아빠, 어린 남자아이 둘이 있었다. 지노는 그들이 독일인이라면서 내게 독일어를 아느냐며 할 줄 알면 통역을 좀 해달라고 했다. 여자는 한 손으로 등 뒤를 받치고 아무것도 걸치지 않은 배를 한껏 앞으로 내밀고 서서 사투리로 저 사람들과는 말이 통하지 않는다고 했다. 그녀는 내게 파티를 열어야 하니 자기 친구들과 친척들이 모두 모여 있을 수 있게 자리를 바꿔주면 좋겠다고 말해달라는 것이었다.

나는 지노를 향해 쌀쌀맞게 고개를 끄덕여 보이고 독일인 가족들에게 다가갔다. 알고 보니 그들은 네덜란드 사람들이었다. 나를 바라보는 니나의 시선이 느껴졌다. 나는 큰 소리로 당당하게 이야기했다. 입을 여는 순간 왠지 모르게 실력을 과시하고 싶은 마음에 사로잡혀 기분 좋게 대화를 이어나갔다. 네덜란드 가족의 가장은 내 말에 수긍했고 바로 분위기가 좋아졌다.

네덜란드 사람들과 나폴리 사람들은 이내 형제처럼 친해졌다. 자리로 돌아가면서 나는 일부러 니나 옆을 지나쳤다. 니나를 가까이에서 본 것은 그때가 처음이었다. 막상 가까이에서 보니 생각보다 예쁘지도 어리지도 않았다. 비키니 왁싱도 깔끔하지 않았다. 품 안의 아이는 한쪽 눈이 충혈된 채 눈물이 맺혀 있었고 이마는 땀띠가 가득했다. 인형 역시 못생긴데다 더럽기 짝이 없었다. 나는 겉으로는 침착하게 보였지만 사실 몹시 흥분한 상태로 내 자리로 돌아갔다.

다시 책을 읽으려 해보았지만 부질없었다. 네덜란드 가족에게 한 말의 내용도 내용이지만 그때 내 말투가 어땠는지 생각하다보니 내가 본의 아니게 강압적인 태도로 혼란을 초래하고 다니는 이들의 전령으로 전락한 것은 아닌가 하는 의심이 들었다. 내가 본질적으로 무례한 메시지를 다른 언어로 옮긴 것이 아닌가 하는 의구심에 사로잡혔다.

나는 나폴리 가족에게도 나 자신에게도 화가 났다. 그래서 임신한 여자가 나를 가리키며 초조한 듯 인상을 찌푸리면서 자기 식구들과 지노를 향해 “자! 이제 저 부인도 자리를 옮겨주실 거야. 그렇죠, 부인? 옮겨주실 거죠?”라고 소리쳤을 때 나는 우울한 목소리로 사납게 쏘아붙였다.

“아뇨. 저는 이 자리가 좋아요. 미안하지만 자리를 옮길 마음이 전혀 없어요.”

7

나는 평소대로 해질 녘에 자리를 떴지만 신경이 곤두섰고 비참한 기분이 들었다. 자리를 옮기기 싫다고 했는데도 임신한 여자는 고집을 부렸고 말투는 점점 더 사나워졌다. 급기야는 인상이 고약한 노인까지 내게 와 말했다.

"자리 좀 옮기는 게 뭐가 그리 힘들단 말이오? 부인이 오늘 우리에게 선의를 베풀면 내일은 우리가 부인에게 선의를 베풀지 않겠소?"

그런 상황이 오래 지속되지는 않았다. 고개를 몇 번 가로저었을 뿐 제대로 싫다고 할 틈도 없이 니나 남편의 거친 한마디로 상황이 끝나버렸다. 그는 멀리서 큰 소리로 외쳤다.

"그만들 해! 이대로도 괜찮아. 거기 부인 좀 내버려둬."

그러자 모두 뒤로 물러났다. 마지막으로 지노도 내게 웅얼거리며 사과하고는 제자리로 돌아갔다.

해변에 머무는 동안 나는 책을 읽는 척했지만 실은 대가족의 사투리와 고함소리, 웃음소리가 증폭된 것처럼 크게 들려서 도무지 책에 집중할 수 없었다. 그들은 끊임없이 뭔가를 축하하며 먹고 마시고 노래를 불렀다. 해변에 자기들만 있는 것처럼 굴었다. 아니면 다른 피서객은 자신들의 행복을 함께 기뻐해주는 것 말고는 달리 할 일이 없다고 생각하는 듯했다.

모터보트에 가득 실어온 짐에는 없는 것이 없었다. 그들은 몇 시간에 걸쳐서 보트에서 풍성한 점심식사 거리와 와인, 디저트, 술을 꺼내다 날랐다. 아무도 내 쪽을 바라보지 않았고 나에 대해 비아냥거리는 기미가 조금도 없었다. 내가 옷을 챙겨 입고 자리를 뜨려 하자 그제야 임신한 여자가 일행을 떠나 커다랗게 부푼 배를 안고 내 쪽으로 다가왔다. 여자는 산딸기 색 세미프레도* 한 조각을 접시에 담아 내밀었다.

"오늘이 제 생일이에요."

여자가 진지하게 말했다.

나는 별로 내키지 않았지만 케이크 조각을 집어 들었다.

"축하드려요. 몇 살이신가요?"

* 아이스크림처럼 시원하게 먹는 케이크의 일종.

"마흔둘이에요."

나는 여자의 배를 바라보았다. 배꼽이 눈알처럼 볼록 튀어나와 있었다.

"배가 많이 불렀네요."

여자는 매우 만족한 표정을 지어 보였다.

"여자아이예요. 아이가 도통 들어서지 않았는데 드디어 생겼네요."

"얼마나 남았죠?"

"두 달이오. 올케는 결혼하자마자 바로 아이가 생겼는데 저는 8년이나 기다려야 했어요."

"아이는 때가 돼야 생기는 법이죠. 케이크 감사해요. 다시 한번 축하드려요."

나는 케이크를 두어 입 베어 문 다음 여자에게 접시를 돌려주려 했지만 여자는 못 본 척 내게 물었다.

"아이가 있나요?"

"딸이 둘 있어요."

"결혼 후 바로 생겼나요?"

"스물셋에 첫딸을 낳았죠."

"그럼 이제 다 컸겠네요."

"큰아이는 올해 스물넷이고 둘째는 스물둘이에요."

"훨씬 젊어보이세요. 올케는 부인이 많아봤자 마흔일 거라고 했어요."

"올해 마흔여덟이에요."

"아직도 이렇게 아름다우시다니 정말 부럽네요. 성함이 어떻게 되세요?"

"레다라고 해요."

"네다요?"

"레다요."

"저는 로사리아예요."

내가 좀더 확고하게 접시를 내밀자 이번에는 여자도 접시를 받아들었다.

"아까는 제가 좀 예민했어요."

나는 마지못해 변명했다.

"가끔 바다 때문에 오히려 기분이 가라앉을 때도 있죠. 혹시 딸들 때문에 걱정되는 일이 있나요?"

"자식들은 언제나 걱정거리죠."

로사리아와 작별인사를 하는데 니나가 우리 쪽을 바라보고 있다는 것을 알았다. 나는 풀이 죽어서 소나무 숲을 가로질렀다. 이제 와서 생각해보니 내가 잘못한 것 같았다. 손해 볼 것도 없는데 왜 싫다고 했을까. 다른 피서객들은 모두 자리를 바꿔주지 않았던가. 네덜란드 사람들까지 말이다. 나만 자리를 고집할 이유가 뭐가 있었단 말인가.

교만과 오만 때문이다. 여유롭게 사색을 지키고 싶은 자기 방어적인 본능과 배운 티를 내며 남을 가르치려 드는 근성 때문이다. 바보 같은 짓이다. 니나에게 관심이 갔던 것도 단지 신체적으로 그녀가 나와 더 가깝게 느껴졌기 때문이다. 못생기고 꾸밈없는 로사리아에게는 눈길 한 번 주지 않았다. 가족들이 수없이 불렀을 텐데 그녀의 이름을 제대로 들은 적이 한 번도 없었다. 로사리아는 내 관심 밖이었다. 로사리아에게는 호기심이 생기지 않았다. 내게 그녀는 점잖지 못하게 임신한 몸을 드러내고 다니는 이름 모를 여자였다. 그렇다. 나라는 인간은 정말이지 얄팍하기 그지없다.

자식들이 언제나 걱정거리라는 말은 대체 왜 했을까. 곧 출산을 앞둔 여자에게 말이다. 정말 멍청한 말이었다. 내 말투는 항상 비아냥대거나 회의적이거나 비꼬는 식이었다. 언젠가 비앙카가 울면서 외쳤다.

"엄마는 엄마가 이 세상에서 제일 잘난 줄 알죠?"

마르타도 마찬가지였다.

"이렇게 불평만 늘어놓으려면 대체 우리는 왜 낳은 거예요?"

모두 조각난 언어의 파편일 뿐이다. 소리로 구성된 음절일 뿐이다. 자식이란 언젠가는 반드시 자신이 불행하다고 분노하면서 대체 왜 자기를 낳았느냐고 항의하는 법이다. 그런 생각에 골똘히 잠겨 걷는 동안 소나무 숲은 보랏빛으로 물들었고 바람이 세게 불었다. 순간 등 뒤에서 바스락 소리가 들렸다. 발소리인 것 같아 뒤돌아보는 순간 적막이 흘렀다.

나는 다시 걷기 시작했다. 그때 등에 당구공으로 얻어맞은 것 같은 강한 충격을 느꼈다. 나는 놀라움과 고통에 숨도 못 쉬고 뒤를 돌아보았다. 채 여물지 않아 입을 앙다물고 있는 주먹만 한 솔방울이 자동차 아래 굴러다니고 있었다. 순간 심장이 세차게 뛰었다. 나는 고통을 가라앉히기 위해 등을 세게 문질렀다. 호흡을 가다듬을 수 없었다. 주변의 수풀을 살펴보니 머리 위로 바람에 흔들리는 솔방울이 보였다.

8

집에 도착해서 나는 옷을 벗고 거울에 몸을 비춰 보았다. 어깻죽지에 테두리는 진하고 가운데는 불그스름한 입술 모양의 멍 자국이 있었다. 손으로 만져보려 했지만 너무 아팠다. 셔츠를 살펴보니 끈끈한 송진 자국이 있었다.

나는 마음을 가라앉히기 위해 마을에 가서 산책하고 저녁을 먹기로 했다. 무슨 일이 있었는지 기억을 더듬어 보았지만 별 소득이 없었다. 누군가가 수풀 속에서 정확히 나를 조준해서 솔방울을 던진 것인지 아니면 솔방울이 우연히 나무에서 떨어진 것인지 판단이 서지 않았다. 갑작스러운 충격에 그저 놀라고 고통스러울 뿐이었다. 하늘을 찌를 듯한 무성한 소나무를 생각하면 솔방울이 나무 위에서 떨어진 것 같았고 관목과 수풀을 떠올리면 발사체에서 수평선을 그리며 허공을 가로질러 내 등을 향해 날아오는 솔방울이 눈앞에 보이는 듯했다.

토요일이어서 그런지 거리는 사람들로 붐볐다. 햇볕에 그을린 사람들, 가족 단위로 산책 나온 사람들, 유모차를 밀고 가는 아이 엄마들과 무료하거나 화난 표정의 아이 아빠들, 딱 달라붙은 채 떨어질 줄 모르는 젊은 연인들과 서로 손을 맞잡은 나이든 연인들의 모습이 보였다. 선탠로션 냄새와 솜사탕 냄새, 구운 아몬드 냄새가 났다. 어깻죽지가 불타는 모닥불같이 화끈거려서 소나무 숲에서 일어난 일 외에는 아무런 생각이 나지 않았다.

나는 두 딸에게 전화를 걸어 내가 겪은 일을 들려주고 싶었다. 전화를 받은 것은 마르타였다. 마르타는 언제나처럼 상기된 말투로 쉴 새 없이 자기 이야기만 늘어놓았다. 마르타는 내가 행여나 자기 말을 끊을까봐 평소보다 더 두려워하는 것 같았다. 내가 곤란한 질문을 하거나 자기를 야단칠까봐 겁을 내는 것 같았다. 아니면 내가 진지한 대답이 필요한 진지한 질문을 해서 다소 지나치게 느껴질 정도로 과장스러웠던 말투를 갑자기 진지하게 바꿔야 할까봐 걱정하는 것 같았다.

마르타는 한참 동안 제 언니와 함께 억지로 파티에 참석해야 한다는 이야기를 했다. 그날 저녁에 파티에 간다는 건지 아니면 다음 날 가야 한다는 건지 이해가 잘 안 됐다. 마르타는 아빠가 그 파티에 신경을 이만저만 쓰는 게 아니라고 했다. 아빠 친구들이 참석하는 파티인데 대학

동료뿐 아니라 방송계 사람들도 온다는 것이었다. 나의 전남편으로서는 되도록 좋은 인상을 남기고 싶어 할 만한 사람들일 것이다. 그는 쉰 살도 안 된 나이에 이렇게 예쁘고 예의 바른 다 큰 딸이 둘이나 있다는 사실을 과시하고 싶을 것이다.

마르타의 수다는 끝이 없었다. 한참을 이야기하다 나중에는 날씨 이야기를 하며 툴툴댔다.

"캐나다는 여름 겨울 상관없이 살 만한 나라가 못 돼요."

마르타가 외쳤다. 딸은 내 안부 따위는 묻지 않았다. 아니 묻기는 했지만 내게 대답할 틈을 주지 않았던 것 같기도 하다. 마르타는 한 번도 직접적으로 아빠 이야기를 하지 않았지만 오히려 그 때문에 마르타의 모든 말에서 남편의 존재가 더 뚜렷이 느껴졌다.

딸들과 대화를 나누다 보면 생략된 단어나 문장이 들리기도 한다. 가끔 딸들이 화를 낼 때도 있다. 딸들은 말한다.

"엄마! 전 그런 말을 한 적이 없어요. 그건 엄마가 한 말이라고요. 엄마가 지어낸 거예요."

하지만 나는 없는 말을 지어낸 적은 없다. 딸들 이야기를 듣다 보면 생략된 말에서 더 많은 것을 듣는다.

그날 저녁 마르타가 장황하게 이야기를 늘어놓는 동안 나는 잠시 마르타가 태어나지 않았다면 어땠을까 상상해 보았다. 마르타가 내 배에서 나오지 않았다면, 지금 다른 여인의 뱃속에 있다면 어떨까. 예컨대 마르타가 로사리아의 아이라면 어떨까. 그러면 외모도 행동도 지금과는 다르겠지.

어쩌면 마르타는 평생 남몰래 그렇게 되기를 바랐을지도 모른다. 내 딸이 아니기를 바랐을 수도 있다. 마르타는 머나먼 대륙에서 노이로제 환자처럼 여전히 자기 이야기만 늘어놓고 있었다.

이제 대화의 주제는 자기 헤어스타일로 넘어갔다. 마르타는 머리 모양이 예쁘게 나오지 않아 머리를 계속해서 다시 감아야 한다고 했다. 미용사가 자기 머리를 망쳐놓았기 때문에 파티에 가지 않겠다고 했다. 그런 꼬락서니로는 집 밖으로 한 발자국도 못 나갈 거라고 했다. 결국 파티에는 비앙카만 갈 거라고 했다. 비앙카 언니 머리는 언제나 근사하니까.

마르타는 그게 내 탓인 것처럼 말했다. 내가 자기를 그렇게 낳는 바람에 행복해질 수 없다는 투였다. 그것은 나에 대한 마르타의 케케묵은 원망이었다.

순간 마르타가 경박스럽게 느껴졌다. 그렇다. 내 딸은 경박한 데다 따분한 아이였다. 그애는 내가 속한 지금의 이 공간, 여름밤의 해변과는 너무나 멀리 떨어진 공간에 속해 있었고 나는 내 딸을 잃어버렸다.

마르타가 불평을 늘어놓는 동안 나는 두 눈을 크게 뜨고 등에 난 상처를 바라보았다. 그때 로사리아가 사내아이들을 데리고 소나무 숲을 가로질러 뚱뚱한 몸으로 헉헉대며 내 뒤를 쫓아오는 모습이 눈앞을 스쳐 지나갔다. 로사리아는 몸을 쪼그리고 앉아 둥근 돌처럼 크게 부풀어 드러낸 배를 넓적한 허벅지로 받치고 나를 표적으로 가리켰다. 나는 괜히 전화했다고 후회하면서 통화를 끝냈다. 아까보다 더 불안해진 데다 심장이 세차게 뛰었다.

저녁을 해결해야 했지만 어떤 식당을 가든 사람이 너무 많았다. 토요일 저녁에 홀로 외식하는 여자가 되고 싶지는 않아 집 아래 바에서 대충 끼니를 때우기로 했다. 지친 몸을 끌고 바에 도착해 계산대 아래 쇼케이스를 보니 그 안에서 파리 떼가 날아다니고 있었다. 나는 감자크로켓

두 개와 작은 오렌지 하나, 맥주 한 병을 샀다.

음식을 맛없게 먹고 있는데 등 뒤에서 노인들이 심한 사투리로 이야기하는 소리가 들렸다. 그들은 카드놀이를 하면서 킬킬대고 있었다. 바에 들어오면서 얼핏 그들을 본 것 같기도 했다. 뒤돌아보니 카드놀이하는 노인들 테이블에 조반니도 있었다. 휴가 첫날 나를 처음 맞이해준 관리인 말이다. 그동안 한 번도 그와 마주친 적이 없었다.

조반니는 카드를 내려놓고 내가 앉아 있는 계산대 쪽 테이블로 왔다. 그는 내게 어떻게 지내는지, 새로운 환경에 적응은 잘 하고 있는지, 집은 괜찮은지 등의 모호한 말을 늘어놓았다. 말하는 내내 조반니의 얼굴에서는 은근한 미소가 떠나지 않았다. 그는 내게 그런 미소를 지을 이유가 없었다. 우리는 딱 한 번, 그것도 아주 잠깐 본 사이일 뿐이었다. 그런 우리가 어떤 면에서 통한다고 생각한 건지 나는 도무지 알 수 없었다.

조반니는 목소리를 깔고 이야기하면서 말할 때마다 내 쪽으로 조금씩 다가왔다. 그 와중에 손끝이 두어 번 내 팔을 스쳤고 나중에는 검버섯이 잔뜩 핀 손을 내 어깨에 올려 놓기까지 했다. 그는 입을 내 귀에 바싹 갖다대고 자기가 도울 일은 없는지 거의 속삭이다시피 물었다.

나는 조반니의 카드놀이 친구들이 잠자코 우리를 지켜보고 있다는 것을 알아차리고 민망해졌다. 그들은 모두 조반니처럼 70대 노인들이었는데 믿을 수 없는 놀라운 장면을 관람하는 극장의 관객처럼 우리를 바라보았다. 내가 식사를 마치자 조반니가 가게 주인에게 손짓을 해보였다. 내 밥값은 자기가 내겠다는 신호인 것 같았다. 나는 결국 돈을 지불하지 못했다.

나는 조반니에게 고맙다고 한 다음 급히 바를 나왔다. 문턱을 넘어서는데 카드놀이하던 노인네들의 거친 웃음소리가 들려왔다. 그제야 나는 조반니가 타지에서 온 여인과 친밀한 관계라고 자랑하고 다녔고 모두 지켜보는 자리에서 내 바깥주인처럼 행동해 이를 증명해보이고자 했다는 사실을 알았다.

화가 나야 마땅했지만 나는 오히려 기분이 좋아졌다. 다시 바에 들어갈까 생각도 했다. 조반니 옆에 앉아 대놓고 카드놀이에서 이기라는 응원을 해줄까 하는 생각도 했다. 갱스터 영화에 나오는 백치미 넘치는 금발의 미녀처럼.

그래봤자 그가 무슨 짓을 할 수 있겠는가. 그저 깡마른 노인일 뿐이지 않나. 조반니는 노인인데도 머리숱이 풍성했다. 다만 피부에는 검버섯이 피고 주름이 깊게 잡혔을 뿐이다. 흰자위가 누렇고 눈동자는 얇은 베일을 덮은 듯 탁했다.

조반니의 연극에 맞장구를 쳐줄 수도 있었다. 조반니에게 귓속말을 하면서 그의 팔에 은근슬쩍 젖가슴을 문지를 수도 있었다. 그의 카드를 훔쳐보며 그의 어깨에 얼굴을 올려놓을 수도 있었다. 그렇게만 해준다면 그는 분명 남은 일평생 내게 고마워할 것이다.

하지만 나는 그렇게 하지 않고 숙소로 돌아와 테라스에서 쏟아지는 등대 불빛을 받으면서 잠이 오기를 기다렸다.

9

그날 나는 밤새 잠을 이루지 못했다. 등에 난 상처가 덧나 욱신거리는 데다 시끄러운 음악소리며 자동차 소리, 누군가를 부르는 고함소리와 인사하는 소리 때문에 새벽녘까지 온 동네가 시끄러웠다.

침대에 누워 있기는 했지만 제대로 쉴 수 없었다. 시간이 지날수록 나 자신이 분열되는 느낌이었다. 비앙카와 마르타, 직장 문제, 니나, 엘레나, 로사리아, 내 부모님과 니나의 남편, 요즘 읽는 책부터 전남편 잔니에 이르기까지 온갖 생각이 머릿속에 맴돌았다. 동이 트자 주변은 갑자기 적막에 휩싸였고 그제야 나는 몇 시간 동안이나마 눈을 붙일 수 있었다.

눈을 떴을 때는 벌써 열한 시였다. 나는 소지품을 챙겨서 차에 탔다. 일요일인 데다 날씨가 무더워 교통 체증이 심했고 주차할 자리를 찾는 데도 한참 걸렸다. 결국 나는 전날보다 많은 인파에 휩싸이고 말았다. 남녀노소 할 것 없이 짐을 이고 진 수많은 피서객이 소나무 숲 오솔길부터 넘쳐났고 다들 어떻게 해서든 먼저 한 뼘의 바다와 모래사장이라도 차지하려고 서로 밀치고 있었다.

피서객이 쉴 새 없이 들이닥치는 바람에 그날은 지노도 건성으로 고개를 끄덕여 보였을 뿐 내게 별 신경을 써주지 못했다. 나는 수영복으로 갈아입고 황급히 그늘 아래 몸을 뉘였다. 등에 생긴 멍을 감추려고 일부러 똑바로 누운 다음 선글라스를 썼다. 머리가 지끈거렸다.

해변은 사람들로 북적거렸다. 로사리아를 찾아봤지만 보이지 않았다. 나폴리에서 온 대가족은 피서객 사이에 뿔뿔이 흩어져 있는 것 같았다. 자세히 살펴보니 사람들 가운데 니나와 그녀의 남편이 물가를 걸으며 산책하는 모습이 보였다.

니나는 푸른색 비키니 차림이었다. 다시 보니 매우 아름다웠다. 니나는 남편과 열띤 논쟁을 벌이면서도 변함없이 특유의 자연스럽고 우아한 자태로 걷고 있었다. 니나의 남편은 티셔츠를 벗으니 자기 누나보다 더 땅딸막해 보였다. 절제된 동작으로 움직이는 남자의 피부는 햇살에 그을린 붉은 기조차 없이 새하얗다. 털이 무성한 가슴 위로 십자가 금목걸이가 보였다. 남자의 배에는 아치 모양의 갈비뼈에서 수영복까지 이어지는 깊은 상처가 있었는데 상처 자국 때문에 육중한 배가 두 덩어리의 거대한 살코기처럼 보였다. 나는 그 모습에 혐오감을 느꼈다.

놀랍게도 엘레나의 모습이 보이지 않았다. 모녀가 떨어져 있는 모습을 본 것은 처음이었다. 그러다 내게서 불과 두 걸음쯤 떨어진 곳에 혼자 있는 엘레나를 발견했다. 엘레나는 햇볕이 내리쬐는 모래사장에서 자기 엄마가 선물

받은 새 모자를 쓰고 인형을 가지고 놀고 있었다. 그새 한 쪽 눈이 더 심하게 충혈되어 있었다. 아이는 이따금 혀끝으로 흘러내리는 콧물을 핥았다.

누구를 닮았다고 해야 할까. 아이 아빠의 얼굴까지 보았기에 엘레나의 얼굴에서 엄마와 아빠의 얼굴을 모두 구별해낼 수 있을 것 같았다. 사람들은 아이를 보면 장난삼아 부모의 얼굴과 닮은 곳을 찾기 시작한다. 아이를 빨리 자신들이 이미 알고 있는 부모의 틀 안에 최대한 끼워 맞추려 한다. 하지만 아이는 생명이 있는 물질일 뿐이다. 유기체의 긴 사슬에서 우연히 생겨난 신선한 고깃덩어리일 뿐이다. 그것은 공학—사실 자연도, 문명도 모두 공학의 범주에 들어간다. 과학은 바로 그 뒤에 있다. 유일하게 공학적이지 않은 것은 혼돈뿐이다—과 맹렬한 번식 본능의 결과물이다.

비앙카는 내가 원해서 낳은 아이였다. 눈먼 동물적인 본능에 일반적인 신념이 더해지면 자식을 낳고 싶은 마음이 생기는 법이다. 나는 비앙카를 바로 임신했다. 그때 내 나이 스물셋이었고 남편과 나는 둘 다 대학에 남기 위해 치열하게 살고 있었다.

잔니는 해냈지만 나는 해내지 못했다. 여자는 수천 가지 일을 해낸다. 힘겹게 일하고, 여기저기 뛰어다니고, 공부를 하고, 꿈을 꾸고, 무언가를 만들어내고 그러다 지쳐 쓰러진다. 그러는 동안 가슴은 커지고 질은 부풀어 오른다. 몸 안에 둥그렇게 웅크리고 있는 생명체 때문에 온몸이 욱신거린다. 그 생명체는 나의 것이고 나의 인생이지만 끊임없이 내 몸에서 뛰쳐나가려 한다. 내 뱃속에서 살지만 정작 내게는 관심이 없다. 나는 그 묵직하고 유쾌한 생명체를 격렬하게 사랑하지만 때로는 그 생명체가 혈관 속에 주입된 벌레의 독처럼 혐오스럽기도 하다.

내가 만든 생명체는 내가 아닌 다른 사람이 되기를 원한다. 비앙카는 내 몸에서 추방당했다. 아니 스스로 내 몸에서 뛰쳐나갔다. 비앙카를 혼자 자라게 할 수는 없었다. 주변 사람들이 그렇게 믿었고 우리 부부도 그랬다. 혼자 자란다는 것은 너무 슬픈 일이었다. 친구가 되어줄 남동생이나 여동생이 필요했다. 나는 그에 순응해 비앙카 다음에 마르타를 낳기로 계획했다. 그렇다. 나는 흔히 말하듯 출산을 '계획'했다.

이렇게 해서 25세에 내 인생은 끝났다. 아이들 아빠는 전 세계를 누비고 다녔다. 해외 출장이 잦아서 남편은 아이들이 자신의 어떤 점을 닮았는지 제대로 살펴볼 시간이 없었다. 번식의 결과물이 어떤지 제대로 보지 못했다. 잔니는 두 딸과 시간을 함께 보내지 못했지만 대신 다정한 목소리로 내게 두 아이가 나를 똑 닮았다고 말해주곤 했다.

잔니는 다정했고 딸들은 그런 아빠를 좋아했다. 딸들을 거의 돌봐주지는 못했지만 필요할 때는 최선을 다했다. 지금도 마찬가지다. 비앙카와 마르타는 잔니를 좋아한다. 만약 잔니가 여기 있었다면 나처럼 침대에 누워만 있지 않고 엘레나와 함께 놀아주었을 것이다. 그래야 한다는 의무감을 느꼈을 것이다.

나는 달랐다. 나는 엘레나를 바라만 보았다. 엘레나가 홀로 노는 모습을 바라보다 저 작은 몸뚱이에 수많은 선조의 흔적이 압축되어 있다는 생각이 들어 혐오에 가까운 감정을 느꼈다. 정확히 뭐가 혐오스러운지는 나도 알 수 없었다.

엘레나는 인형놀이를 하고 있었다. 아이는 인형에게 이야기를 하고 있었다. 그 순간 엘레나에게 인형은 금발머리가 다 빠져 두개골이 훤히 보이는 머리가 반쯤 벗겨진 인형 이상의 존재였다. 아이는 인형에게 어떤 배역을 맡겼을까. 아이는 인형을 나니라고 불렀다. 나누차, 나니키아, 넨넬라라고 불렀다. 다정한 모습이었다.

아이는 인형 얼굴에 격렬하게 뽀뽀했다. 어찌나 열정적으로 뽀뽀하는지 인형의 플라스틱 몸이 아이의 사랑이 가득 담긴 입김으로 부풀어 오르는 것 같았다. 아이는 자신의 모든 사랑을 입김으로 불어 넣었다. 아이는 잡아먹을 듯이 입을 크게 벌리고 인형의 벗은 가슴과 등과 배, 인형의 온몸에 뽀뽀를 했다.

나는 시선을 다른 곳으로 돌렸다. 아이들이 놀 때는 쳐다보지 말아야 하는 법이다. 하지만 어느새 시선은 다시 엘레나 쪽으로 향했다. 나니는 못생긴 인형이었다. 오래된 데다 얼굴과 온몸에 사인펜 자국까지 있었다. 그런데도 그 순간만큼은 강한 생명력을 발산하고 있었다. 이제는 인형이 엘레나에게 뽀뽀하기 시작했다. 인형의 키스는 점점 격렬해졌다. 인형은 엘레나의 뺨을 향해 세차게 달려들어 플라스틱 입술을 엘레나 입술에 갖다 댔다. 아이의 빈약한 가슴과 살짝 나온 배에 입을 맞추고 녹색 수영복에 얼굴을 파묻었다.

엘레나는 내가 자기를 쳐다보고 있다는 것을 알아채고 탁한 눈빛으로 내게 미소를 지어 보이고는 보란 듯이 인형의 머리를 다리 사이에 끼우더니 양손으로 다리를 힘껏 눌렀다. 아이들은 원래 그렇게 논다. 시간이 흐르면서 잊어버릴 뿐이다.

나는 자리에서 일어났다. 햇살이 따가운 데다 땀을 너무 많이 흘렸다. 바람 한 점 없었고 지평선에서부터 잿빛 연무가 일기 시작했다. 나는 수영하러 바다로 갔다.

일요일의 피서객 사이로 여유롭게 헤엄치다 보니 니나와 그녀의 남편이 아직도 말다툼하고 있는 모습이 보였다. 니나가 불만을 토로하자 남편은 잠자코 그녀의 말에 귀를 기울여주었다. 그러다 말다툼이 지겨워졌는지 흥분하지 않고 차분하지만 단호한 태도로 이야기를 시작했다. 나는 그가 니나를 아주 많이 사랑하는 것 같다고 생각했다. 그는 니나를 해안에 남겨둔 채 전날 모터보트를 타고 온 사람들과 이야기를 하러 갔다. 부부 갈등의 원인이 바로 그들이었던 것이다. 언제나 그런 식이었다. 경험상 나도 잘 알고 있었다. 친구들과 친척들이 모이면 처음에는 파티를 열고 모두 즐거운 시간을 보내지만 그것은 잠시뿐이다. 사람들이 지나치게 많으면 다툼이 시작되고 해묵은 원한이 곪아 터지는 법이다.

니나가 새로운 방문객들을 못 견뎌 하자 결국 그녀의 남편이 이들을 떠나보내기로 한 것이 틀림없었다. 잠시 후 몇몇 남자와 졸부처럼 보이는 여자들, 뚱뚱한 아이들이 한두 명씩 나폴리 가족의 파라솔에서 일어나 자기 소지품을 모터보트에 싣기 시작했다. 니나의 남편도 직접 나서서 그들을 도와주었는데 아마도 그들을 최대한 빨리 떠나보내려고 그러는 것 같았다. 그들은 처음 왔을 때처럼 원래 있던 사람들과 입맞춤과 포옹을 주고받았지만 니나에게 인사하는 사람은 아무도 없었다. 니나는 니나대로 잠시도 그들의 모습을 보고 싶지 않은지 고개를 푹 숙이고 해안을 따라 멀어져갔다.

나는 일요일의 인파에서 벗어나기 위해 멀리 헤엄쳐갔다. 바닷물이 등에 난 상처를 진정시키자 통증도 가라앉았다. 적어도 느낌상으로는 그랬다. 나는 손가락이 주글주글해지고 추워서 몸이 덜덜 떨릴 때까지 물속에 있었다. 어머니는 내가 그 지경이 된 것을 알아채면 악을 쓰며 나를 물 밖으로 끌고 나오곤 했다. 내가 추워서 이를 덜덜 떨면 어머니는 더 화를 내면서 나를 홱 잡아당겨 내 몸을 머리에서 발끝까지 수건으로 박박 문질렀다. 그 기세가 어찌나 난폭하던지 어머니가 정말로 내 건강이 걱정되어서 그러는 것인지 아니면 오랫동안 마음속에 감추고 있던 나에 대한 분노 때문에 내 피부를 벗기려는 것인지 헷갈렸다.

나는 뜨거운 모래 위에 수건을 펼치고 누웠다. 바닷물에 차갑게 식은 몸을 따뜻한 모래 위에 뉘일 때의 즐거움이란. 나는 조금 전 엘레나가 있던 곳을 바라보았다. 아이는 없고 인형만 안쓰러운 자세로 버려져 있었다. 인형은 두 팔을 활짝 펴고 다리를 아무렇게나 벌린 채 등을 대고 누워 있었다. 머리가 반쯤 모래에 파묻혀서 코와 한쪽 눈만 보였다. 어젯밤 잠을 설친 상태에서 몸까지 따뜻해지자 나는 그대로 잠이 들었다.

10

1분 아니 10분 정도 잤을까. 잠에서 깬 나는 몽롱한 상태로 몸을 일으켰다. 하늘은 뜨거운 백묵처럼 새하얗고 공기는 무거웠다. 그새 피서객이 늘어난 것 같았다. 말소리와 음악소리가 뒤섞여 소란스러웠다. 일요일의 수많은 피서객 사이에서 은밀한 부름에 이끌리듯 니나의 모습이 가장 먼저 눈에 들어왔다.

무슨 일이 있는 것 같았다. 그녀는 불안한 표정으로 입술을 달싹이면서 파라솔 사이를 조심스레 돌아다니고 있었다. 놀란 새처럼 기계적으로 고개를 돌리며 주위를 살피고 있었다. 혼잣말로 뭔가를 중얼거렸는데 내가 있는 곳에서는 그녀의 말이 잘 들리지 않았다. 파라솔 사이를 찾아 헤매던 니나는 갑자기 파라솔 아래 의자에 앉아 있는 자기 남편을 향해 급히 뛰어갔다.

니나의 남편은 벌떡 일어나 주위를 살폈다. 인상이 고약한 노인이 그의 팔을 잡아당겼지만 그는 노인의 팔을 뿌리쳤다. 그새 로사리아가 다가왔고 곧이어 어른 아이 할 것 없이 온 가족이 한 몸이 되어 주변을 살피다 이내 뿔뿔이 흩어져 움직이기 시작했다.

"엘레나! 레누차! 레나!"

그들은 아이의 이름을 소리쳐 부르기 시작했다. 로사리아는 수영을 하고 싶어 안달난 사람처럼 종종걸음으로 바다로 향했다. 니나 쪽을 보니 그녀는 별 도움이 안 되는 행동만 하고 있었다. 니나는 이마를 매만지면서 처음에는 오른쪽으로 갔다가 갑자기 방향을 바꿔 왼쪽으로 갔다. 오장육부 안 깊은 곳에 있는 무언가가 니나의 얼굴에서 생기를 앗아간 것 같았다. 니나는 누렇게 뜬 얼굴로 불안해하면서 미친 사람처럼 여기저기를 둘러보았다. 니나는 엘레나를 찾고 있었다. 딸을 잃어버린 것이다.

나는 아이가 다시 나타날 거라고 생각했다. 나는 누군가가 사라지는 데 익숙했다. 어머니는 어린 시절 내가 항상 사라지곤 했다고 말했다. 잠시만 한눈을 팔아도 사라졌기 때문에 그때마다 비치하우스로 달려가 내가 어떻게 생겼고 내 이름이 무엇인지 방송해달라고 부탁했다는 것이다. 방송이 나가는 동안 어머니는 계산대 근처에서 나를 기다렸다.

나는 내가 사라졌던 일을 기억하지 못한다. 내 기억은 전혀 다르다. 나는 어머니가 사라질까봐 항상 두려웠다. 어린 시절 나는 어머니를 다시는 못 볼 거라는 두려움을 품고 살았다.

하지만 비앙카를 잃어버렸을 때의 기억은 생생하다. 그

때는 나도 지금의 니나처럼 해변을 뛰어다녔다. 내 품에서 악을 써대는 마르타까지 안고 말이다. 나는 어찌해야 할 바를 몰랐다. 잔니가 해외에 있을 때라 혼자서 두 딸을 데리고 다니던 시절이었다. 아는 사람이 주변에 아무도 없었다.

그렇다. 무릇 자식이란 모든 불안의 근원이다. 비앙카를 찾아다닐 때 해변을 샅샅이 뒤지면서도 바다 쪽으로는 시선을 돌리지 못하던 기억이 아직도 생생하다. 바다 쪽은 차마 바라볼 수가 없었다.

나는 니나가 과거의 나와 똑같이 행동하고 있다는 사실을 눈치챘다. 니나도 사방을 뒤지고 다녔지만 필사적으로 바다를 등지고 있었다. 그 모습을 보자 갑작스레 감정이 복받쳐 오르면서 눈물이 날 것 같았다. 도저히 한쪽 구석에 가만히 앉아 있을 수 없었다. 나폴리 사람들이 미친 듯이 아이를 찾아 헤매는 데도 눈 하나 깜빡하지 않는 피서객들의 태도를 도저히 참을 수 없었다. 아무리 훌륭한 화가라도 섬광을 똑같이 그려낼 수는 없다. 점화와 점멸이 동시에 일어나기 때문이다. 그렇게나 당당하고 무례할 정도로 거만했던 나폴리 사람들이 그 순간은 나약해 보였다.

나는 로사리아가 존경스러웠다. 그들 가운데 그녀만이 바다를 살피고 있었다. 로사리아는 한껏 부푼 배를 안고 종종걸음으로 해안을 따라 움직였다. 그제야 나는 자리에서 일어나 니나에게 다가가 팔을 살짝 건드렸다. 니나가 나를 향해 몸을 획 돌렸다. 흡사 뱀 같은 동작이었다. 니나는 내게 아이를 찾았느냐고 물었다. 아직 안면을 트기 전이었는데 마치 예전부터 아는 사이라도 되는 것처럼 내게 반말을 했다.

"아이가 당신 모자를 쓰고 있어요."

내가 말했다.

"그러니 찾을 수 있을 거예요. 눈에 잘 띌 거예요."

니나는 불안한 시선으로 나를 바라보다 고개를 끄덕여 보이고는 남편이 사라진 쪽을 향해 뛰어갔다. 승패에 상관없이 경기에 임하는 젊은 운동선수 같았다.

나는 니나와는 반대 방향으로 파라솔의 맨 첫 번째 줄을 향해 천천히 걸었다. 내 자신이 엘레나나 길 잃은 내 딸 비앙카가 된 기분이었다. 아니 어쩌면 망각의 늪을 지나 어린 시절 내가 길을 잃었던 때로 돌아간 것일지도 모르겠다. 길을 잃으면 아이는 자기 주변에 변한 것이 하나도 없다고 생각하지만 실은 아무것도 제대로 파악하지 못한다.

아이는 방금 전까지 피서객과 파라솔을 구별할 수 있게 해주었던 방향 감각을 상실한다. 자기가 원래 있던 곳에 있다고 믿지만 실제로 어디에 있는지 전혀 감을 못 잡는다. 아이는 겁먹은 눈으로 주변을 돌아보지만 바다는 바다이고, 해변은 해변이고, 사람들은 사람들이고, 신선한 코코넛 열매를 파는 상인은 신선한 코코넛 열매를 파는 상인일 뿐이다. 그러다 주변의 모든 사물과 사람이 낯설게 느껴져 결국 울음을 터뜨린다. 모르는 어른이 무슨 일인지, 왜 우는지 묻기라도 하면 절대로 길을 잃어버렸다고 말하지 않는다. 대신 엄마가 보이지 않는다고 말한다.

비앙카를 찾았을 때, 사람들이 내게 딸을 데려다주었을 때 비앙카도 울고 있었다. 나도 마찬가지였다. 나는 기쁘기도 하고 안심이 되기도 해서 울음을 터뜨리고 말았다. 그와 동시에 너무 화가 나서 악을 썼다. 내 어머니처럼.

어깨를 짓누르는 책임감 때문이었다. 부모와 자식이라는 관계의 숨 막히는 속성이었다. 나는 큰딸을 한쪽 팔로 거칠게 잡아당기며 악을 바락바락 썼다.

"집에 가서 혼날 줄 알아! 다시는 엄마한테서 떨어지지 마! 다시는!"

나는 걸으면서 혼자서 놀고 있거나 무리지어 노는 아이들, 어른 품에 안겨 있는 아이들 틈에서 엘레나의 모습을 찾았다. 나는 혼란스러웠다. 속이 조금 메스꺼웠지만 그래도 나는 그런 상황에서 집중할 수 있는 사람이었다.

밀짚모자가 보이는 순간 가슴이 덜컹 내려앉았다. 멀리서 보니 모래사장에 모자만 버려져 있는 것처럼 보였는데 가까이 가보니 모자 아래 엘레나가 있었다. 아이는 물가에서 얼마 떨어지지 않은 곳에 앉아 있었다. 사람들이 무심하게 아이 곁을 지나다니는 동안 엘레나는 울고 있었다. 눈물은 소리 없이 천천히 아이의 뺨 위로 흘러내렸다. 엘레나는 엄마를 잃어버렸다고 하지 않았다. 인형을 잃어버렸다고 했다. 아이는 절망에 빠져 있었다.

나는 엘레나를 안고 급히 비치하우스 쪽으로 돌아갔다. 로사리아와 마주쳤는데 그녀는 너무나 기뻐서 낚아채다시피 내 품에서 아이를 데려갔다. 로사리아는 기쁨의 환호성을 지르며 올케에게 손짓했다. 니나는 우리를 보고, 자기 딸을 알아보고는 우리를 향해 달려왔다. 니나뿐만이 아니었다. 그녀의 남편과 다른 식구들이 모래사장과 비치하우스와 해안가에서 몰려왔다. 아이가 여전히 절망에 빠져 몸부림치고 있었는데도 식구들은 엘레나에게 입을 맞추고 포옹하고 만지면서 비켜간 위험에 대한 안도감을 만끽하려 했다.

나는 뒤로 물러나 내 자리로 돌아가 오후 두 시도 채 안 된 이른 시간이었는데도 소지품을 챙기기 시작했다. 울음을 그치지 않는 엘레나가 못마땅했다. 나폴리 사람들은 축제 분위기였다. 여자들은 아이를 엄마에게서 빼앗아 번갈아 안으면서 아이를 달래려 했지만 소용없었다. 아무도 아이를 달래지 못했다.

그때 니나가 내게 다가왔다. 로사리아도 니나 뒤를 따라왔다. 로사리아는 아이를 찾는 데 결정적인 역할을 한 나와 처음으로 안면을 텄다는 사실에 자부심을 느끼는 것 같았다.

“감사드리고 싶었어요.”

니나가 말했다.

“많이 놀랐겠어요.”

“죽는 줄 알았어요.”

"20년 전 8월의 어느 일요일에 나도 딸을 잃어버렸었죠. 그때는 너무 불안해서 눈에 보이는 게 없었어요. 불안하면 그런 법이죠. 이럴 때는 오히려 모르는 사람이 더 도움이 될 수 있어요."

"부인이 계셔서 다행이에요."

로사리아가 말했다.

"세상이 얼마나 험한데요."

대화를 나누다가 내 등 쪽으로 시선이 간 로사리아가 끔찍하다는 듯 외쳤다.

"세상에! 등이 왜 그런 거죠? 어쩌다 이렇게 된 거예요?"

"소나무 숲에서 솔방울에 맞았어요."

"끔찍하네요. 아무것도 안 발랐나요?"

로사리아는 자기한테 기적의 연고가 있다면서 가져오겠다고 했고 그렇게 해서 나는 니나와 단둘이 남게 되었다. 멀리서 엘레나가 끈질기게 악을 쓰는 소리가 들려왔다.

"아이가 진정을 못 하네요."

내가 말했다.

니나가 미소를 지었다.

"오늘은 정말 힘든 날이네요. 아이를 찾은 대신 인형을 잃어버렸답니다."

"찾을 수 있을 거예요."

"그래야죠. 못 찾으면 큰일이에요. 아이가 병이 날 거예요."

갑자기 등에 차가운 느낌이 들었다. 로사리아가 어느새 조용히 등 뒤로 다가와 상처에 연고를 바르고 있었다.

"좀 어떠세요?"

"좋아졌어요. 감사합니다."

로사리아는 민첩하고 섬세하게 연고를 마저 발랐다. 로사리아가 연고를 다 바르자 나는 수영복 위에 옷을 걸쳐 입고 가방을 들었다.

"내일 봐요."

내가 빨리 자리를 뜨고 싶은 마음에 말했다.

"오늘 저녁이면 다 나을 거예요."

"알겠어요."

나는 다시 한번 엘레나를 흘낏 바라보았다. 아이는 엄마와 인형을 번갈아 부르면서 아빠 품에서 몸을 비틀며

발버둥치고 있었다.

"그만 가자."

로사리아가 니나에게 말했다.

"어서 인형을 찾아주든가 해야지 더는 못 들어주겠어."

니나는 고개를 끄덕이고는 자기 딸이 있는 쪽으로 도망치듯 뛰어갔다. 로사리아는 로사리아대로 주변에 있는 아이들과 아이 부모들에게 인형을 봤는지 물으면서 허락도 구하지 않고 파라솔 아래 쌓인 장난감 더미를 뒤지고 다녔다.

나는 모래사장을 올라 소나무 숲으로 갔다. 아이의 고함소리가 거기까지 들려오는 것 같았다. 나는 혼란스러웠다. 두근거리는 심장을 가라앉히려 한쪽 손을 가슴에 올렸다. 인형을 가져간 사람은 나였다. 인형은 내 가방 속에 있었다.

11

차를 몰고 숙소로 가는 동안 나는 뛰는 가슴을 가라앉혔다. 정확히 언제 그 일을 저질렀는지 잘 기억이 나지 않았다. 지금 생각해보니 우습기까지 했다. 그만큼 어이없는 행동이었기 때문이다. 조금 두렵기도 하고 재미있기도 했다.

'이게 대체 무슨 일이람.'

인형을 가져온 건 순간 왠지 모를 연민에 사로잡혔기 때문이었던 것 같다. 어린 시절부터 나는 가끔 사람이나 동물이나 식물, 심지어는 사물에 대해 연민을 느끼곤 했다. 나는 그 이유가 마음에 들었다. 본질적으로는 고귀한 명분이라는 느낌이 들었다. 자연스러운 구조 본능이라고 생각했다. 그 인형은, 그러니까 네나, 나니, 넨넬라 등의 이름으로 불리던 그 인형은 몸이 뒤틀린 채 모래 위에 버려져 있었다. 얼굴이 반쯤 모래에 파묻혀서 질식할 것 같아 나는 인형을 꺼내 들었다. 별 의미 없는 아이같이 유치한 행동이었다.

사람은 평생 어른이 못 되나 보다. 나는 다음 날 인형을 돌려주기로 마음먹었다. 아침 일찍 해변으로 가서 엘레나가 버려두었던 바로 그곳에 인형을 묻어놓아야겠다고, 엘레나에게 직접 인형을 찾게 해야겠다고 생각했다. 잠시 아이와 함께 놀아주다가 '여기 뭐가 있네? 이것 좀 봐. 우리 한번 파볼까?'라고 말해야겠다고 생각하니 만족스럽기까지 했다.

집에 도착한 뒤 가방에서 수영복과 수건과 선탠로션을 꺼냈다. 하지만 인형은 다음 날 잊지 않고 돌려주기 위해 가방 안에 그대로 두었다. 나는 샤워를 하고 수영복을 빤 뒤 말리기 위해 걸어놓았다. 샐러드 한 접시를 준비해서 테라스에 자리 잡고 바다와 용암바위에 파도가 부딪히며 생겨나는 거품과 지평선 너머로 멀어지는 먹구름 층을 감상하면서 먹었다.

갑자기 내가 몹쓸 짓을 저지른 것 같았다. 의도하지는 않았지만 어쨌든 나쁜 짓을 저지른 것 같은 느낌이었다. 침대에서 잠결에 몸을 뒤척이다 머리맡 탁자에 놓인 침대 스탠드를 떨어뜨렸을 때처럼.

솔직히 연민 때문에 인형을 가져온 것은 아니었다는 생각이 들었다. 그렇게 관대한 감정 때문이 아니었다. 비 온 뒤 풀잎에 맺힌 빗방울이 미끄러지듯 도저히 피할 수 없는 상황에 휩쓸린 것 같았다. 다시 그럴듯한 이유를 찾아보려 했지만 소용없었다. 나는 혼란스러웠다. 평온했던 나날도 이로써 끝인가보다. 나는 지나치게 많은 생각과 상상 때문에 정신 사납던 때로 돌아가게 될까봐 두려웠다.

바다가 보랏빛 띠로 변하더니 바람이 불기 시작했다. 정말 변덕스러운 날씨였다. 갑자기 기온이 크게 떨어졌다. 엘레나는 해변에서 아직 울고 있을 테고 니나는 절망에 빠져 있을 것이다. 로사리아는 해변을 이 잡듯 샅샅이 뒤지고 있을 것이고 나머지 식구들도 다른 피서객들과 전쟁을 벌이고 있을 것이다. 순간 종이 냅킨이 바람에 날아가 버렸다. 나는 접시를 치웠다. 몇 달 만에 처음으로 외로움을 느꼈다.

구름으로부터 어두운 비의 장막이 먼 바다 위로 내려오고 있었다. 얼마 지나지 않아 바람이 강해졌다. 바람은 건물에 온몸을 부딪치며 앓는 소리를 길게 냈다. 바람의 숨결에 실려 집 안으로 먼지며 마른 나뭇가지, 죽은 벌레 따위가 몰려 들어왔다. 나는 테라스 문을 닫은 다음 가방을 들고 창문 앞 작은 소파에 자리를 잡았다.

도무지 마음을 다잡을 수 없었다. 가방에서 인형을 꺼내들고 만지작거렸다. 마음이 혼란스러웠다. 인형은 발가벗고 있었다. 아이는 인형 옷을 어디에 놔둔 걸까. 인형 안에 물이 들어 있는지 생각보다 무거웠다. 얼마 남지 않은 곱슬곱슬한 금발이 두개골 밖으로 드문드문 삐져나와 있었다. 인형의 볼은 너무 볼록했고 파란 눈동자는 멍청해 보였다. 작은 입술 가운데 까만 구멍이 있었다. 상체가 길고 배가 불룩했다. 짧고 뚱뚱한 다리 사이로 희미한 수직선이 커다란 엉덩이까지 쭉 이어졌다.

인형에게 옷을 입혀주고 싶은 생각이 들었다. 옷을 사 입혀서 엘레나에게 깜짝 선물을 해줘야겠다는 생각이 떠올랐다. 내가 저지른 일에 대한 보상으로.

여자아이에게 인형은 어떤 의미가 있을까. 어린 시절 내게도 예쁜 곱슬머리 인형이 있었다. 나는 그 인형을 몹시 아꼈고 한 번도 잃어버리지 않았다. 인형의 이름은 미나였다. 어머니는 그 이름을 내가 붙여주었다고 했다. 미나, 맘미나, 맘무차.* 맘무차는 옛날 사람들이 인형을 부를 때 쓰던 표현이다. 요새는 잘 안 쓰는 말인데 갑자기 생각이 났다. 맘무차랑 놀기.

어머니는 좀처럼 내게 어머니의 몸을 가지고 놀게 해주지 않았다. 그럴 기미가 조금이라도 보이면 바로 신경질

* 맘미나, 맘무차는 이탈리아어로 엄마의 애칭이다.

을 냈다. 어머니는 인형 역할이 싫었던 것이다. 어머니는 웃으면서 몸을 빼내거나 화를 냈다. 어머니는 내가 자신의 머리를 빗겨주고 리본을 묶어주고 얼굴이나 귀를 닦아주고 옷을 입고 벗기는 것을 성가셔했다.

나는 어머니와 달랐다. 나는 어린 시절 어머니의 머리와 얼굴과 몸을 만지지 못했을 때의 고통을 똑똑히 기억하고 있었다. 그래서 나는 비앙카가 어렸을 때 인내심을 발휘해 딸아이의 인형이 되어주었다. 비앙카는 나를 부엌 식탁 아래로 끌고 가곤 했다. 그곳은 우리 둘만의 오두막이었다. 비앙카는 나를 식탁 아래 눕게 했다. 그때 정말 피곤했던 기억이 난다.

마르타는 밤새 한숨도 자지 않았고 낮에만 겨우 눈을 붙였는데 그나마도 잠시뿐이었다. 비앙카는 비앙카대로 끊임없이 뭔가를 요구하면서 내 뒤만 졸졸 따라다녔다. 유치원에 가는 것도 싫어했다. 억지로 아이를 유치원에 떼어놓고 오면 영락없이 아파서 결국 상황을 더 복잡하게 만들었다. 그럼에도 나는 정신 줄을 놓지 않으려고 최선을 다했다.

나는 좋은 엄마가 되고 싶었다. 그래서 바닥에 누워 비앙카가 나를 환자 돌보듯 다루도록 내버려두었다. 비앙카는 내게 약을 먹이고 이를 닦아주고 머리를 빗겨주었다. 가끔 그대로 잠이 들기도 했는데 아직 어렸던 비앙카는 빗질을 제대로 할 줄 몰라 내 머리를 잡아 뜯었고 그때마다 나는 깜짝 놀라 깨곤 했다. 그럴 때면 너무 아파서 눈물이 찔끔 났다.

그때 내 삶은 너무나 피폐했다. 공부할 여유가 전혀 없었고 아이들과 놀 때 하나도 기쁘지 않았다. 내 몸은 욕망이 거세된 죽은 몸뚱이 같았다. 마르타가 다른 방에서 울기 시작하면 나는 오히려 해방감을 느꼈다. 비앙카의 놀이를 거칠게 중단시키면서도 죄책감이 들지 않았다. 내가 힘들어서 비앙카를 피하는 것이 아니라 마르타 때문에 어쩔 수 없다고 생각했으니까.

"엄마 마르타 보고 올게. 금방 돌아올 테니 기다려."

그러면 비앙카는 울음을 터뜨렸다.

비앙카에게 나의 미나를 줘야겠다고 결심한 것도 그 무렵이었다. 제대로 되는 일이 하나도 없었던 때였다. 미나를 주는 것은 좋은 생각 같았다. 인형을 주면 동생에 대한 비앙카의 질투심을 누그러뜨리는 데 도움이 될 거라고 생각했다. 나는 옷장 위에 있던 종이 상자에서 내 오래된 인형을 찾아 비앙카에게 말했다.

"이 인형 좀 봐. 이 아이의 이름은 미나란다. 엄마가 어렸을 때 가지고 놀던 인형인데 너한테 선물할게."

나는 비앙카가 인형을 사랑해줄 거라고 생각했다. 엄마와 하던 놀이를 이제는 미나와 할 거라고 생각했다. 하지만 비앙카는 인형을 구석에 처박아두었다. 미나가 마음에 들지 않았던 것이다. 비앙카는 미나보다 노란 털실머리의 못생긴 헝겊 인형을 더 좋아했다. 제 아빠가 어딘가 다녀오면서 사다준 인형이었다. 나는 마음이 몹시 상했다.

하루는 비앙카가 발코니에서 놀고 있었다. 발코니는 비앙카가 좋아하는 장소였다. 봄기운이 느껴지면 나는 종종 아이를 발코니에서 놀게 했다. 비앙카를 밖에 데리고 나갈 시간이 없었기 때문에 도로에서 자동차 매연이 올라오고 소음이 들렸지만 아이가 햇볕도 쬐고 바깥 공기도 마실 수 있게 베란다에 놓아두곤 했다. 그때 나는 몇 달 동안 책 한 장 제대로 못 읽어서 지치고 화가 난 상태였다. 돈에 허덕이지 않을 때가 없었고 잠 한숨 제대로 못 자던 시절이었다.

그날 나는 비앙카가 미나를 의자처럼 깔고 앉은 채 다른 인형을 가지고 노는 광경을 봤다. 나는 비앙카에게 당장 일어나라고 했다. 엄마가 어렸을 때 소중히 여기던 물건을 망가뜨리면 안 된다고, 너는 정말이지 못되고 배은망덕한 아이라고 했다. 그렇다. 나는 아이에게 배은망덕하다는 표현을 썼다. 아이에게 고함을 질렀다. 애당초 인형을 너에게 주지 말았어야 했고, 엄마 인형이니 엄마가 다시 가져가야겠다고 했다.

집이라는 은밀한 공간에서 어른들은 아이들에게 말과 행동을 가리지 않는다. 비앙카는 쌀쌀맞았다. 어렸을 때부터 항상 그랬다. 비앙카는 자신의 감정과 불안을 꾸역꾸역 씹어 삼키는 아이였다. 비앙카는 미나를 깔고 앉은 채 말 한마디 한마디에 힘을 주며 야무지게 말했다.

"아니야. 내 거야."

자기 생각을 바꿀 마음이 전혀 없을 때 비앙카는 아직도 그런 식으로 말한다. 순간 나는 아이를 험하게 밀어버렸다. 고작해야 세 살배기 아이였는데 그 순간만큼은 비앙카가 나보다 더 크고 더 강하게 느껴졌다.

비앙카에게서 미나를 빼앗자 아이는 그제야 나를 겁먹

은 눈으로 바라보았다. 비앙카는 인형을 홀딱 발가벗겨 놓았다. 양말 한 짝, 신발 한 켤레 남아 있지 않았다. 머리에서 발끝까지 지저분하게 사인펜 칠까지 해놓았다. 손을 보면 괜찮을 정도의 흠집이었지만 내게는 치유가 불가능한 것 같았다.

인형뿐만이 아니었다. 그때는 아무것도 치유할 수 없을 것 같았다. 나 자신도 치유되지 못할 것 같았다. 나는 인형을 발코니 난간 너머로 던져버렸다.

나는 인형이 아스팔트를 향해 날아가는 걸 보면서 잔혹한 환희를 느꼈다. 추락하는 인형이 추한 생명체처럼 보였다. 나는 시간 가는 줄 모르고 발코니 난간에 기대어 차들이 인형을 짓밟으며 지나가는 살육의 현장을 바라보았다. 문득 비앙카도 그 광경을 바라보고 있다는 사실을 알아차렸다. 아이는 무릎을 꿇고 이마를 난간에 기댄 채 인형을 쳐다보고 있었다. 그제야 나는 아이를 안아올렸고 비앙카는 순순히 내 품에 안겼다. 나는 한참 동안 아이에게 키스했다. 아이를 다시 내 몸 안에 집어넣을 기세로 꼭 껴안았다.

"엄마, 아파요. 엄마 때문에 아프다고요."

나는 엘레나의 인형을 천장을 바라보는 자세로 소파에 놓아두었다.

그러는 동안 폭풍이 육지까지 휘몰아쳤다. 거친 폭풍은 눈이 멀 듯 강하게 번쩍이는 번개와 폭약을 가득 실은 차가 폭발하는 듯한 굉음을 내는 시끄러운 천둥을 동반했다. 나는 빗물이 방으로 들이치기 전에 침실로 달려가 창문을 닫고 침대 맡 탁상 스탠드를 켰다. 나는 침대 머리판에 개어둔 베개에 누워서 열심히 책을 읽으며 책장마다 빽빽하게 필기를 했다.

나는 평생 그렇게 책을 읽고 글쓰는 행위로 안정을 되찾아왔다.

12

작업에 몰두하다 방 안으로 스며든 불그스름한 빛줄기에 퍼뜩 정신이 들었다. 그새 비가 멈춘 것이었다. 나는 꽤 오랜 시간을 들여 화장하고 옷을 차려 입었다. 한 치의 흐트러짐도 없이 정갈하고 품위 있는 부인처럼 보이고 싶었다. 몸단장을 마친 후 나는 집을 나섰다.

일요일은 토요일보다 길이 덜 붐볐다. 주말 동안 놀랄 정도로 늘었던 인파가 이제 줄어들고 있었다. 나는 잠시 해안을 따라 걷다가 시장 옆에 있는 식당으로 향했다. 가는 길에 지노와 만났다. 비치하우스에서 바로 오는 길인지 해변에서 보던 차림 그대로였다. 지노는 내게 정중하게 고개를 숙이고는 그대로 지나치려 했지만 내가 멈추자 어쩔 수 없이 걸음을 멈췄다.

내 목소리를 듣고 싶은 마음이 절박했다. 다른 이의 목소리와 함께라면 내 목소리를 통제할 수 있을 것 같았다. 나는 폭풍 이야기를 꺼내면서 해변 상황이 어땠는지 물었다. 지노는 강풍이 불었다고 했다. 비바람을 동반한 폭풍 때문에 파라솔이 많이 쓰러졌다고 했다. 피서객들이 비를 피해 바와 비치하우스로 급히 몰려들었지만 그 수가 너무 많아 결국 대부분이 해변을 떠나서 지금은 해변이 텅 비었다고 했다.

"빨리 들어가길 잘 하셨어요."

"난 폭풍을 좋아하는걸요."

"그냥 계셨으면 책이며 노트가 엉망이 되었을 거예요."

"그쪽 책은 무사한가요?"

"조금 젖었어요."

"전공이 뭐예요?"

"법학이에요."

"졸업은 언제 하나요?"

"다른 사람들보다 좀 늦게 해요. 중간에 시간을 허비했거든요. 부인은 대학에서 강의를 하시나요?"

"네."

"어떤 과목을 가르치세요?"

"영문학이에요."

"외국어를 많이 아시던데."

나는 웃음을 터뜨렸다.

"제대로 아는 것은 하나도 없어요. 나도 시간을 허비했거든요. 일주일에 고작 열두 시간 강의를 하는데 모두 저를 노예처럼 부려먹는답니다."

우리는 잠시 함께 걸었다. 지노와 걷다보니 마음이 편해졌다. 나는 지노를 편하게 해주려고 이런저런 말을 시키면서 그런 나 자신을 타인의 시선으로 바라보았다. 정숙한 부인처럼 차려입은 내 모습과 모래를 뒤집어 쓴 채 반바지에 티셔츠, 해변용 슬리퍼를 신고 있는 지노의 모습을 바라보고 있자니 우습기도 하고 은근히 즐겁기도 했다. 비앙카와 마르타가 그런 내 모습을 봤다면 나를 두고두고 놀려먹었을 것이다.

지노는 내 딸들 또래로 보였다. 엄마의 손길이 필요한 호리호리하고 성격이 예민한 아들 같았다. 사춘기 시절 나는 키가 훤칠하고 몸매가 호리호리한 까만 머리의 청년들을 좋아했다. 마르타의 남자친구들처럼. 그에 비해 비앙카의 남자친구들은 키는 작지 않지만 금발에 체격이 다부지고 살집이 있는 편이었다. 핏줄이 자기들 눈동자처럼 파랬다. 비앙카는 언제나 자기보다 나이 많은 남자들을 좋아했다. 나는 비앙카의 첫 남자친구도 마르타의 첫 남자친구도 모두 사랑해주었다. 고마운 마음에 그들을 지나칠 정도로 다정하게 대하곤 했다.

나는 비앙카와 마르타의 남자친구들이 내 딸들의 아름다움과 뛰어난 자질을 알아봐준 것이 고마워서 그걸 보상해주고 싶었다. 그들 덕분에 비앙카와 마르타에게 자신이 못생겼다는 불안감과 매혹적이지 않다는 확신이 사라졌기 때문이다. 아니 그것보다는 그들 덕에 나도 천만다행으로 짜증과 다툼과 불평불만을 쏟아내는 아이들을 달래야 하는 노고에서 벗어날 수 있었기 때문일 수도 있다.

"나는 못생겼어요. 나는 뚱뚱해요."

"엄마도 너희들 나이 때는 내가 뚱뚱하고 못생겼다고 생각했었단다."

"그럴 리가요. 엄마가 언제 뚱뚱하고 못생겼었나요. 엄마는 항상 예뻤어요."

"너희들도 예쁘단다. 사람들이 어떤 시선으로 너희를 보는지 전혀 모르는구나."

"사람들은 우리를 보는 게 아니라 엄마를 보는 거예요."

뭇 사내들이 욕망을 품고 바라보는 대상은 누구였을까. 비앙카가 열다섯 살이고 마르타가 열세 살이었을 때 나는 마흔이 채 안 됐었다. 두 딸의 어린 육체는 거의 동시에 성숙해지기 시작했다. 얼마 동안 나는 거리에서 마주치는 사내들의 시선이 나를 향한 것이라고 생각했다. 지난 25년간 그랬던 것처럼. 나는 그런 사내들의 시선을 받는 데 익숙해 있었다. 그들의 시선을 감수하는 데 익숙했다.

하지만 언제부턴가 나는 그들의 엉큼한 시선이 스치듯 내 몸을 지나쳐 내 딸들에게 머문다는 사실을 깨달았다. 한편으로는 당황스러웠지만 한편으로는 흐뭇하기도 했다. 결국 나는 씁쓸한 마음으로 내 시대가 끝나가고 있다는 사실을 인정해야 했다.

그런데도 나는 그때부터 나 자신의 외모에 신경을 더 많이 쓰기 시작했다. 아마 내 육체를 내게 익숙한 상태 그대로 최대한 오랫동안 붙잡아두고 싶었다. 내게 익숙한 육체가 없어지지 않기를 바랐던 것 같다.

비앙카와 마르타의 남자친구들이 집에 올 때면 나는 외모에 특별히 신경 썼다. 아이들의 남자친구들과 내가 마주치는 순간은 짧았다. 집에 들어오고 나갈 때 내게 어색하게 인사하는 게 다였다. 그래도 나는 외모와 행동에 신경 썼다. 비앙카와 마르타는 남자친구들을 데리고 오면 바로 각자의 방으로 들어가 버렸고 나는 언제나 혼자 남았다.

나는 내 딸들이 사랑받기를 바랐다. 반대의 경우는 떠올리기조차 싫었다. 딸들이 불행해지는 상상을 하면 겁이 났다. 그 무렵 내 딸들은 거칠고 탐욕스러운 관능미를 내뿜었는데 그런 딸들의 매력만큼 내 육체적 매력을 빼앗기는 것처럼 느껴졌다.

그래서인지 비앙카와 마르타가 웃으면서 자기 남자친

구들이 너희 엄마는 젊고 매력적이라는 말을 했다고 전해 주면 기분이 좋았다. 잠시 동안이지만 우리 셋의 육체가 기분 좋은 균형점을 찾은 것 같았기 때문이다.

한번은 비앙카의 남자친구에게 지나치게 아양을 떨었던 것 같다. 그애는 서늘한 눈매에 말수가 적고 조금 지저분하고 어딘지 삶이 힘겨워 보이는 열다섯 살 소년이었다. 소년이 집으로 돌아간 후 나는 비앙카를 불렀다. 비앙카가 내 방에 얼굴을 내밀자 호기심에 마르타도 제 언니를 따라왔다.

"엄마가 만든 케이크를 친구가 좋아했니?"

"그럼요."

"초콜릿을 넣었으면 좋았을 텐데 시간이 없었단다. 다음에 또 데리고 오면 초콜릿을 넣어줄게."

"그애 말이 다음에는 엄마가 자기 물건을 빨아줬으면 좋겠대요."

"비앙카! 그게 대체 무슨 말이니?"

"내가 아니라 그애가 그랬다고요."

"그럴 리 없어."

"아뇨, 정말 그렇게 말했어요."

나는 서서히 마음을 내려놓았다. 딸들이 원할 때만 있어주고 말하라고 할 때만 말하는 습관을 들였다. 비앙카와 마르타는 내가 그렇게 해주기를 원했기 때문에 나는 딸들이 원하는 대로 해주었다. 내가 딸들에게 원했던 것이 무엇이었는지는 모르겠다. 그것은 지금도 마찬가지다.

나는 지노를 바라보며 생각했다.

'저녁식사를 함께하자고 해야지.'

하지만 이내 걱정이 되었다.

'보나마나 핑곗거리를 대고 거절하겠지. 그래도 상관없지만.'

하지만 지노는 내 부탁을 거절하는 대신 수줍게 말했다.

"가서 샤워라도 하고 옷을 갈아입고 와야 할 것 같아요."

"이대로도 좋아요."

"지갑도 안 가지고 나왔는걸요."

"내가 초대하는 거예요."

저녁식사 내내 지노는 대화가 끊이지 않도록 노력했다. 나를 웃겨보려고 했지만 우리는 공통점이 거의 없었다. 지노는 침묵이 길어지면 안 된다는 것을 잘 알고 있었고 나름대로 최선을 다했다. 그는 길 잃은 짐승처럼 수단과 방법을 가리지 않았다.

본인에 대해서는 할 이야기가 거의 없었기 때문에 되도록 내게 말을 시키려 했다. 하지만 지노의 질문은 상투적이었다. 눈빛만 봐도 내 대답에 관심이 없다는 것을 알 수 있었다. 나는 지노를 도와주고 싶었지만 대화의 소재가 고갈되는 것을 막을 수 없었다.

지노는 내가 해변에서 무슨 공부를 하는지 궁금해했고 나는 그에게 다음 학기를 준비하는 거라고 대답했다.

"어떤 수업이죠?"

"『올리비아』에 대한 수업이에요."

"그게 뭔데요?"

"소설이에요."

"장편 소설인가요?"

지노는 자기는 단순한 시험이 좋다고 했다. 자기 시험이 제일 중요하다는 사실을 증명하기 위해 읽을 교재를 산더미처럼 내어주는 교수들에게 불만이 많았다. 지노는 입이 컸다. 치아가 눈부시게 하얗고 큼지막했다. 그에 비해 눈은 아주 작아서 좁은 틈처럼 보였다.

지노는 웃으면서 제스처를 많이 썼다. 지노는 『올리비아』에 대해서 아는 바가 없었다. 내 관심사 중에 잘 아는 것이 하나도 없었다.

딸들도 그랬다. 비앙카와 마르타는 크면서 나와 관련 있는 것에 대해서는 조심스럽게 거리를 두었다. 딸들은 둘 다 제 아빠처럼 과학 분야를, 그중에서도 물리학을 전공했다.

나는 잠시 지노에게 딸들 이야기를 했다. 딸들에 대해 좋게 말하면서도 말투에 비아냥조가 묻어나왔다. 그러다 마침내 해변 이야기를 나누면서 공통 관심사를 찾아냈다. 우리는 비치하우스와 비치하우스 사장과 피서객들에 대한 이야기를 나눴다. 지노는 외국인들은 대부분 친절하지만 이탈리아 사람들은 허풍스러운 데다 거만하다고 했다. 지노는 파라솔 사이를 배회하는 아프리카인들과 동양 여자들에 대해 호의적으로 이야기했다. 대화의 주제가 니나와 그녀의 가족들로 옮겨가고 나서야 나는 비로소 내가 지노와 함께 레스토랑에 온 의미를 찾았다는 사실을 알게 되었다.

지노는 인형이 사라지는 바람에 절망에 빠진 엘레나 이

야기를 들려주었다.

“폭풍이 지나간 후 저는 계속 인형을 찾았어요. 한 시간 전까지 갈퀴로 모래를 파헤치면서 샅샅이 찾았지만 결국 인형을 못 찾았어요.”

“나타나겠죠.”

“아이 엄마를 위해서라도 그랬으면 좋겠어요. 인형을 잃어버린 것이 아이 엄마 잘못이라도 되는 양 모두 니나를 원망했어요.”

지노의 목소리에서 니나에 대한 흠모의 감정이 느껴졌다.

“그 가족은 아이가 태어나고 나서 매년 이곳으로 피서를 와요. 남편이 모래언덕 위에 있는 집을 임차하죠. 해변에서는 보이지 않지만 소나무 숲에 있는 멋진 집이죠.”

지노는 니나가 교육을 제대로 받았다고 했다. 인문계 고등학교를 졸업했고 잠시 대학도 다녔다는 것이다.

“아이 엄마가 정말 사랑스럽더군요.”

내가 말했다.

“네, 정말 예뻐요.”

나는 지노와 니나가 가끔 대화를 나누는 사이라는 것을

알게 됐다. 니나가 지노에게 공부를 다시 시작하고 싶다고 했다는 것이다.

"저보다 겨우 한 살 많아요."

"그럼 스물다섯인가요?"

"스물셋이오. 제가 스물둘이거든요."

"그럼 내 딸 마르타랑 동갑이네요."

지노는 잠시 입을 다물었다. 그러다 갑자기 표정이 어두워졌는데 순간 얼굴이 못나 보였다.

"니나의 남편을 보셨나요? 교수님이라면 따님을 그런 남자에게 시집보내시겠어요?"

나는 비꼬듯 물었다.

"뭐가 마음에 안 드는 거죠?"

"하나부터 열까지 다요. 니나 남편도 친구들도 친척들도 다 마음에 안 들어요. 특히 남편 누나라는 사람은 정말 못 봐주겠어요."

"임신한 부인을 말하는 건가요? 로사리아요?"

"부인이라고요? 그렇게 부를 만한 여자가 못 돼요. 어제 교수님이 얼마나 존경스러웠는지 몰라요. 끝까지 자리를 바꿔주지 않으셨잖아요. 하지만 이제부터는 그러지 마세요."

"왜죠?"

지노는 어깨를 으쓱해보이고는 못마땅한 표정으로 고개를 가로저었다.

"질이 나쁜 사람들이에요."

13

나는 자정 무렵에 집에 돌아왔다. 지노와 공동의 화제가 생기자 시간이 쏜살같이 지나갔다. 지노는 나에게 반백의 뚱뚱한 부인이 니나의 어머니라는 사실을 알려주었다. 인상이 고약한 노인네의 이름은 코라도이며 니나 아버지가 아니라 로사리아의 남편이라는 사실도 처음 알았다. 인물들의 관계와 이름을 제대로 파악하지 못한 상태에서 본 영화 이야기를 하는 것 같았다.

지노와 헤어질 무렵에는 상황이 조금 더 명확해졌다. 하지만 니나의 남편에 대해서는 여전히 아는 바가 거의 없었다. 지노는 니나의 남편 이름은 토니이고 매주 토요일에 왔다 월요일 아침에 떠난다고 했다. 나는 지노가 토니를 못 견뎌한다는 사실을 알았다. 토니에 대한 일이라면 입에 담기도 싫어했다. 나 역시 토니에게 관심 없기는 매한가지였다.

지노는 현관문이 완전히 닫힐 때까지 예의 바르게 기다려주었다. 나는 침침한 층계참을 따라 4층까지 올라갔다. 지노는 나폴리 사람들을 두고 질이 나쁜 사람들이라고 했다. 하지만 그들이 내게 무슨 짓을 할 수 있겠는가.

집 안에 들어가 불을 켜니 인형이 소파에 누워 있었다. 두 팔을 천장으로 향하고 다리를 쫙 벌린 채 얼굴은 내 쪽으로 돌아가 있었다. 이 인형 하나 찾자고 나폴리에서 온 사람들이 해변을 난리통으로 만들어놓고 지노는 갈퀴로 모래사장을 미친 듯이 파헤치고 다닌 것이다.

나는 집 안을 서성였다. 부엌에서 냉장고가 웅웅거리는 소리만 들렸다. 마을 전체가 고요했다. 욕실 거울로 내 얼굴을 보니 얼굴은 핼쑥하고 눈은 부어 있었다. 나는 깨끗한 셔츠를 찾아 입고 졸리지는 않았지만 잘 준비를 했다.

지노와 즐거운 시간을 보냈는데도 왠지 모르게 기분이 찜찜했다. 테라스 문을 열어젖히자 신선한 바다 공기가 들어왔다. 하늘에는 별 하나 반짝이지 않았다.

'지노가 니나를 좋아하는구나.'

나는 생각했다.

'딱 보면 알겠어.'

지노의 감정이 애틋하거나 재미있어야 하는데 갑자기 니나까지 못마땅해졌다. 니나가 매일 해변에 나타나 지노의 마음을 사로잡음으로써 내게 속하는 무엇인가를 빼앗아가는 느낌이었다.

나는 인형을 치우고 소파에 누웠다. 나는 습관처럼 지노가 비앙카와 마르타를 보면 둘 중 누구를 더 좋아할지 생각해보았다. 딸들이 사춘기에 접어든 후 나는 내 딸들을 또래 소녀들과 비교하는 데 집착했다. 내 딸들을 예쁘고 인기 많은 딸들의 친한 친구나 학교 친구들과 비교했다. 그 소녀들이 내 딸들의 경쟁자처럼 느껴졌고 그런 내 감정에 혼란스러웠다.

나는 당당하고 매혹적이고 사랑스럽고 똑똑한 소녀들이 자신들의 매력을 마음껏 발산하며 빛날 때 내 딸들에게서 무엇인가를 빼앗아간다고 생각했다. 그럼으로써 궁극적으로는 내게 속하는 무엇인가를 빼앗기는 것 같았다. 나는 그런 내 감정을 최대한 억누르고 소녀들을 상냥하게 대했지만 몰래 그 소녀들이 내 딸들보다 예쁘지 않다는 사실을 나 스스로에게 증명하려 했다.

친구들이 비앙카와 마르타보다 외모가 예쁘면 대신 성격이 나쁘거나 머리가 멍청하다고 생각해야 마음이 편했다. 이를 증명하기 위해 나는 친구들의 변덕스러운 행동이나 바보 같은 짓, 성장기 소녀들 특유의 일시적인 신체적 결함을 찾아서 마음속으로 열거했다. 가끔 비앙카나 마르타가 자기들이 제 친구들에 비해 못났다는 생각에 괴로워하면 나는 참지 못하고 그들 사이에 끼어들어 너무나 외향적이고 너무나 매력적이고 너무나 붙임성 좋은 내 딸들의 친구들을 가혹하게 대했다.

열네 살 때 마르타에게 플로린다라는 학교 친구가 생겼다. 플로린다는 마르타와 동갑이었지만 다 큰 처녀, 그것도 아주 아름다운 처녀 같았다. 플로린다의 몸짓과 미소는 내 딸을 초라하게 만들었다. 둘이 함께 학교에 가고 함께 파티에 가고 함께 휴가를 간다는 생각에 나는 괴로웠다. 마르타가 플로린다와 친구로 지내는 한 내 딸은 자기 삶의 주인공이 될 수 없을 것이었다.

하지만 마르타는 플로린다와의 우정을 소중하게 생각

했다. 마르타는 플로린다에게 강하게 이끌렸고 그런 두 소녀의 우정을 갈라놓는 것은 힘들고 위험한 작업이었다. 나는 얼마 동안 마르타의 만성적인 굴욕감을 플로린다의 이름을 특별히 언급하지 않고 일반론적으로 접근하면서 위로하려 했다. 나는 틈만 나면 마르타를 칭찬했다.

"마르타, 넌 정말 예뻐. 넌 정말 사랑스러운 아이란다. 어쩜 이렇게 눈빛이 영특해 보일까? 미인이셨던 네 할머니를 쏙 빼닮았구나."

부질없는 일이었다. 마르타는 자기가 플로린다에 비해서만 못생겼다고 생각하는 것이 아니었다. 마르타는 자기가 제 언니보다도 못났다고 생각했다. 주변 사람 중에서 자기가 제일 못났다고 생각했다. 내가 칭찬을 해줄 때마다 마르타는 더 우울해했다. 마르타는 내가 자기 엄마니까 그런 말을 하는 거라고 했다. 가끔은 이렇게 중얼거리기도 했다.

"듣기 싫어요, 엄마. 엄마는 저를 있는 그대로 보지 않잖아요. 나를 좀 내버려두고 엄마 일이나 하세요."

그 무렵 나는 항상 긴장한 상태였고 만성적으로 배가 아팠다. 죄책감 때문이었다. 나는 엄마인 내가 아이들을 제대로 사랑해주지 못한 것이 딸들의 모든 불행의 원인이라고 생각했다. 내게 애정 문제가 있다는 것은 자타가 인정한 바였다. 하지만 결과적으로 나는 마르타를 더 힘들게 하고 말았다.

"너는 정말 네 외할머니를 똑 닮았단다."

나는 마르타에게 내 이야기도 들려주었다.

"엄마가 네 나이였을 때는 나도 내가 못생겼다고 생각했어. 할머니는 예쁜데 나만 못생겼다고 말이야."

마르타는 갈수록 노골적으로 싫은 기색을 보이면서 제발 입 좀 다물어 달라는 신호를 보냈다. 그러다보니 마르타를 위로하면 할수록 내 기분만 상했다. 가끔 '아름다움이란 어떤 방식으로 재생산되는 것일까' 자문하곤 했다.

어린 시절, 딱 마르타 나이였을 때 나는 어머니가 나를 낳는 순간 내 몸에서 완전히 떨어져 나갔다고 생각했었다. 갑자기 속이 메스꺼워 눈앞에 놓인 접시를 밀어내는 것처럼 말이다. 모두 내가 커가면서 어머니를 닮는다고 했지만 나는 내가 아직 어머니의 자궁 속에 있을 때부터 어머니가 내게서 도망치고 싶어 한 것은 아닌지 의심하곤 했다. 물론 어머니와 닮은 점이 있기는 했지만 왠지 희미하게만 보였다.

내가 남자들에게 인기가 있다는 사실을 알게 된 후에도 나는 좀처럼 안정을 되찾지 못했다. 어머니는 생명력 넘치는 따뜻한 기운을 발산하는 사람이었다. 그런 어머니에 비해 나는 혈관이 금속으로 된 것처럼 차가웠다.

나는 어머니를 닮고 싶었다. 거울 속에 맺힌 상이나 사진 속의 정적인 모습뿐 아니라 주변 사람들을 사로잡는 어머니의 능력을 닮고 싶었다. 길에서나 지하철에서나 케이블카에서나 상점에서나 장소에 상관없이 타인의 시선을 사로잡는 능력을 닮고 싶었다. 나는 어떤 도구로도 그 매력적인 아우라를 붙잡을 수 없었다. 임신한 배조차도 그 아우라를 똑같이 만들어낼 수 없었다.

플로린다에게는 그런 아우라가 있었다. 어느 비 오는 날 오후 플로린다와 마르타가 학교에서 함께 돌아온 적이 있었다. 아이들은 물이 흠뻑 젖은 신발을 신은 채 바닥을 흙탕물로 더럽히면서 아무 생각 없이 복도를 지나 거실을 거쳐 부엌으로 가더니 과자를 한 움큼 집어 들었다. 아이들은 장난삼아 손에 든 과자를 부스러뜨린 후 과자 부스러기를 온 집 안에 흘리면서 먹고 다녔다. 나는 구김살이라고는 하나도 없는 눈부시게 아름다운 그 사춘기 소녀에게 극도로 혐오감을 느꼈다. 나는 플로린다에게 말했다.

"얘, 너는 너희 집에서도 이런 식으로 행동하니? 네가 대체 뭔데? 지금 당장 바닥을 닦아놔! 집 청소를 마치기 전엔 집에 못 갈 줄 알아."

처음에 플로린다는 내 말을 농담으로 받아들였다. 하지만 나는 정말로 플로린다에게 빗자루와 쓰레받기와 걸레를 가져다주었다. 내 표정이 험상궂었는지 플로린다는 기어 들어가는 소리로 말했다.

"마르타도 같이 그랬는걸요."

"플로린다 말이 맞아요, 엄마."

마르타도 동의했지만 내 말투가 너무나 확고하고 단호했는지 둘은 이내 입을 다물었다. 플로린다는 겁에 질려서 바닥을 꼼꼼히 닦았다.

마르타는 그 모습을 바라보다 방으로 들어가 버렸다. 마르타는 그 후 며칠 동안 나와 말을 하지 않았다. 마르타는 비앙카와는 달랐다. 그애는 마음이 여려서 내 목소리가 조금만 변해도 싸울 생각을 접고 물러섰다. 플로린다는 서서히 마르타의 인생에서 자취를 감췄다. 가끔 내가 플로린다와 잘 지내고 있는지 물으면 마르타는 애매한 말을 늘어놓거나 어깨를 으쓱해 보일 뿐이었다.

그렇다고 내 불안감이 사라지지는 않았다. 비앙카와 마르타가 별 생각 없이 앉아 있는 모습을 바라보고 있으면 내 딸들에 대한 애정과 반감이 동시에 느껴져 마음이 복잡했다. 내 눈에는 가끔 비앙카가 비호감으로 보였고 그때마다 나는 괴로웠다. 그러다 비앙카가 주변 사람들에게 예쁨을 받고 성별에 상관없이 친구가 많다는 것을 알게 되었고 그애를 비호감으로 생각한 사람은 엄마인 나뿐이었다는 생각에 후회하기도 했다.

나는 비앙카의 오만한 웃음소리가 싫었다. 다른 사람들보다 요구사항이 지나치게 많고 매사에 집착하는 것도 싫었다. 식사할 때 비앙카는 음식을 제일 많이 덜어갔다. 먹고 싶어서가 아니라 하나도 손해 보지 않으려는 심보 때문이었다. 남한테 무시당하거나 속기 싫어서였다. 나는 비앙카가 자기가 틀렸다는 사실을 알고도 자신의 실수를 인정하고 싶지 않아 고집스레 입을 다물고 있는 것도 못마땅했다.

"당신도 그렇잖아."

남편이 말하곤 했다. 그럴지도 모른다. 비앙카에 대한 반감은 나 자신에 대한 반감이 반영된 것일 수도 있다. 아니, 그렇게 간단한 것이 아닐 수도 있다. 그보다 더 복잡한 이유가 있을 수도 있다. 비앙카와 마르타에게서 나와 닮은 면을 볼 때마다 나는 뭔가 찜찜했다. 딸들이 내 자질을 제대로 활용하지 못하고 있는 것 같았다. 나의 가장 뛰어난 면이 딸들의 육체에 제대로 접합되지 못한 것 같았다. 딸들이 나를 놀리려고 일부러 우스꽝스럽게 내 모습을 흉내 내는 것 같아 화가 나기도 하고 수치스럽기도 했다.

가만히 생각해보면 나는 딸들이 가지고 있는 여러 가지 특성 중에서 나와는 전혀 다른 면을 사랑했다. 아이들이 자기들 아빠에게서 물려받은 면이 더 좋았다. 우리의 결혼이 그토록 험하게 끝난 후에도 그 사실에는 변함이 없었다.

아이들이 한 번도 만난 적 없는 먼 조상에게서 물려받은 특성이 더 좋았다. 서로 다른 육체가 결합하는 과정에서 우연히 만들어진 기이한 결과가 더 좋았다. 다시 말하면 나는 딸들의 육체에 대한 책임감을 덜 느낄수록 딸들이 더 친근하게 느껴졌다. 하지만 그런 이질감에서 빚어진 친근감이 느껴지는 일은 드물었다.

딸들의 불안과 고통과 갈등은 나를 끊임없이 억눌렀고 그럴 때마다 나는 씁쓸함과 죄책감을 느꼈다. 나는 결국 딸들의 고통의 근원이자 배출구였다. 아무리 애를 써봐도 결국은 그렇게 됐다.

비앙카와 마르타는 나를 때로는 침묵으로, 때로는 악을 쓰며 원망했다. 비앙카와 마르타는 가시적인 신체적 특성의 잘못된 배분에 대해서만 나를 원망하는 것이 아니었다.

그보다 더 은밀한, 어느 정도 시간이 흐른 후에야 알아챌 수 있는 특성들에 대해서도 불만이었다. 예를 들면 육체가 내뿜는 아우라 같은 것 말이다. 그것은 독한 술처럼 정신을 혼미하게 만드는 에너지였다.

미묘한 목소리의 음색이라든지 미세한 움직임, 눈꺼풀을 깜박이는 방식, 미소인지 찡그리는 것인지 구분이 잘 가지 않는 표정, 걸음걸이나 왼쪽으로 살짝 기운 어깨, 사랑스럽게 팔을 흔드는 동작 같은 것. 그런 사소한 동작들의 미세한 조합이 비앙카를 매혹적으로 만들고 마르타는 그렇지 않게 만들거나 반대로 마르타를 매혹적으로 만들고 비앙카는 그렇지 않게 만드는 것이다. 한 명을 교만하게 만들고 다른 한 명을 고통스럽게 만드는 것이다. 어쩌면 그런 차이가 어머니의 힘을 불공평하게 남용한 나에 대한 증오심을 만들어냈을 수도 있다. 딸들은 살아 있는 안식처인 내 뱃속에 자기들을 품고 있던 그 순간부터 불공평했던 나에게 증오심을 느꼈을 것이다.

딸아이들 말에 따르면 나는 그때부터 모진 엄마였다. 한 명만 친딸처럼 대하고 한 명은 수양딸처럼 대했다는 것이다. 나는 비앙카에게 풍만한 가슴을 선사했지만 마르타의 체형은 남자아이 같았다. 마르타는 있는 그대로의 모습이 아름답다는 것을 모르고 패드가 들어간 브래지어를 착용했다. 스스로 자신을 굴욕적으로 만드는 속임수였다.

나는 마르타가 괴로워하는 모습을 보고 있기 힘들었다. 젊었을 때는 나도 가슴이 컸지만 마르타를 출산하고 나서는 체형이 변했다. 마르타는 내게 좋은 점은 비앙카 언니한테만 물려줬고 자기한테는 안 좋은 점만 물려줬다는 말을 입에 달고 살았다. 마르타는 그런 아이였다. 항상 자기는 받은 것이 없다면서 방어벽을 친다.

비앙카는 동생과 달랐다. 비앙카는 어렸을 때부터 내게 맞섰다. 내가 멋져 보이면 그 비결을 찾아내 자기도 해낼 수 있다는 것을 내게 보여주려 했다. 내게는 과일을 깎을 때면 껍질이 중간에 한 번도 끊기지 않게 조심스럽게 깎는 습관이 있었는데 이 사실을 일깨워준 것도 비앙카였다.

비앙카가 감탄하기 전에는 내게 그런 능력이 있다는 사실조차 몰랐다. 나는 누구에게 그렇게 과일 깎는 법을 배운 걸까. 아마도 매사에 욕심이 많고 지나치게 꼼꼼한 내 성격 때문에 시작된 일일 것이다.

"엄마, 뱀을 만들어주세요."

비앙카는 내게 조르곤 했다.

"사과 껍질로 뱀을 만들어주세요, 네?"

'뱀 만들기.' 얼마 전 내가 아주 좋아하는 마리아 구에라의 시에서도 그런 시구를 읽은 적이 있다. 비앙카는 과일 껍질로 만든 뱀에 매혹되었다. 아이는 그것을 엄마의 수많은 마법 같은 능력의 하나라고 생각했다. 그때를 생각하면 아직도 감정이 벅차오른다.

하루는 자기도 뱀을 만들 수 있다는 것을 보여주려다

손가락에 깊은 상처가 난 적도 있다. 다섯 살이었던 비앙카는 뱀 만들기에 실패하자 실망했다. 손가락에서 피가 나자 아이는 실망해서 눈물을 펑펑 쏟았다. 나는 깜짝 놀라서 고함을 질렀다. 잠시도 아이를 혼자 놔둘 수 없었다.

내 시간이 하나도 없었다. 숨이 막혀 죽을 것 같던 시절이었다. 나 자신을 부정하는 삶을 살고 있는 것 같았다. 나는 한참 동안 아이의 상처에 뽀뽀해주기 싫다고 했다. 아픔을 사라지게 하는 뽀뽀 말이다. 나는 비앙카에게 아이는 과일을 깎으면 안 된다는 것을, 그것은 위험한 일이라는 것을 가르쳐주고 싶었다. 엄마는 어른이니까, 그런 일은 엄마만 할 수 있는 것이다. 엄마이기 때문에.

내 배에서 태어난 불쌍한 내 새끼들, 그 아이들이 지금은 자기들끼리 지구 반대편으로 가버린 것이다. 나는 외로움을 달래려고 인형을 무릎 위에 올려놓았다. 어쩌려고 인형을 가지고 온 걸까. 인형은 니나와 엘레나의 사랑을 품고 있었다. 그들 모녀의 서로에 대한 열정과 구속력을 품고 있었다. 인형은 평온한 모성의 눈부신 증거였다.

나는 인형을 품에 안았다. 그동안 나는 얼마나 많은 것을 망가뜨리고 잃어버렸던가. 지금 이 순간 내가 망가뜨리고 잃어버린 모든 것의 존재가 느껴졌다. 그 모든 형상이 소용돌이치며 눈앞을 스쳐갔다. 순간 내게 나니를 돌려주고 싶은 마음이 전혀 없다는 사실을 분명히 깨달았다. 두렵기도 하고 양심의 가책이 느껴지기도 했지만 그래도 인형을 갖고 싶었다. 나는 인형의 얼굴과 입술에 입을 맞추고 엘레나가 그랬던 것처럼 꼭 껴안았다. 인형은 욕지거리를 내뱉듯 꾸르륵 소리를 내더니 갈색 침으로 내 입술과 셔츠를 더럽혔다.

14

나는 테라스 문을 열어놓은 채 소파에서 늦잠을 잤다. 머리가 무겁고 뼈가 욱신거렸다. 눈을 떠보니 열 시가 지나 있었다. 비가 내리고 있었고 강풍에 바다가 요동쳤다. 인형을 찾았지만 보이지 않았다. 인형이 밤새 창문 밖으로 뛰어내리기라도 했을까봐 불안해졌다. 주위를 살펴보고 소파 밑을 뒤져도 인형은 보이지 않았다. 누군가 집에 들어와 인형을 가져간 것은 아닌지 겁이 났다.

인형은 어두컴컴한 부엌의 식탁에 놓여 있었다. 어젯밤

입술과 셔츠에 묻은 진흙물을 닦으러 가면서 그곳에 놔두었던 것이다.

날씨가 좋지 않아서 수영은 못 할 것 같았다. 오늘 엘레나에게 인형을 돌려주겠다는 계획은 내키지 않기도 했지만 실현 불가능할 것 같았다. 나는 아침을 먹고 나서 신문과 점심·저녁에 먹을 음식을 사기 위해 집을 나섰다.

날씨가 좋지 않으니 장을 보거나 할 일 없이 동네를 배회하는 피서객들로 평소보다 동네가 더 붐볐다. 바닷가 근처 장난감 가게를 보는 순간 또다시 어차피 인형을 하루 더 가지고 있게 되었으니 인형에게 옷을 입히고 싶다는 마음이 들었다.

나는 재미삼아 장난감 가게에 들어가 앳되어 보이는 친절한 점원과 이야기를 나눴다. 점원은 팬티와 양말과 신발 그리고 딱 인형 사이즈로 보이는 파란색 원피스를 찾아주었다. 쇼핑백을 가방에 넣고 가게에서 막 나가려던 참에 하마터면 코라도와 부딪힐 뻔했다. 니나의 아버지인 줄 알았는데 알고 보니 로사리아의 남편이었던 인상 고약한 노인네 말이다. 그날 코라도는 옷을 쫙 빼입고 있었다. 하얀 셔츠에 푸른 재킷을 걸치고 노란 넥타이까지 매고 있었다. 코라도는 나를 못 알아보는 듯했지만 그를 뒤따라 들어온 옅은 녹색 임부복을 입은 로사리아가 나를 바로 알아보고 외쳤다.

"레다 부인! 잘 지내셨나요? 괜찮으세요? 연고가 효과가 있었나요?"

나는 로사리아에게 다시 한번 고맙다고, 이제 다 나았다고 했다. 니나가 다가오는 모습을 보고 나는 기분이 좋아졌다. 너무 좋아서 흥분될 정도였다.

항상 해변에서만 보던 사람들을 도심에서 만나면 신기해 보인다. 코라도와 로사리아는 골판지로 만든 인형처럼 어딘가 위축되고 빳빳해 보였다. 니나는 투명하고 경계심 많은 속살을 껍질 속에 꼭꼭 감춰둔 은은한 색상의 조개 같았다. 차림새가 흐트러진 사람은 엘레나밖에 없었다. 엘레나는 제 엄마를 꽉 껴안은 채 엄지손가락을 빨고 있었다. 예쁜 하얀색 원피스를 입고 있었는데도 꼴이 엉망이었다. 옷에 방금 흘린 것 같은 초콜릿 아이스크림 자국이 있었고 입에 넣고 빨고 있는 엄지손가락도 끈적끈적한 갈색 침 자국 범벅이었다.

나는 불편한 마음으로 엘레나를 바라보았다. 엘레나는

니나의 어깨에 얼굴을 기대고 있었는데 코에서 콧물이 흘러내렸다. 가방 속에 넣어둔 인형 옷이 갑자기 묵직하게 느껴졌다.

'지금이야. 내가 나니를 가지고 있다고 말해야겠어.'

그 순간 내면의 무엇인가가 거칠게 요동쳤고 나는 짐짓 안됐다는 듯 물었다.

"좀 어떠니, 얘야. 인형은 찾았니?"

엘레나는 벌컥 화를 내면서 엄지손가락을 입에서 빼더니 나를 주먹으로 때리려 했다. 내가 피하자 아이는 잔뜩 뿔이 나서 제 엄마 목에 얼굴을 파묻었다.

"엘레나, 그러면 안 돼. 아주머니에게 예쁘게 대답해야지."

니나가 짜증스레 엘레나를 야단쳤다.

"아주머니에게 나니는 내일 찾을 거라고 말씀드려. 오늘은 우선 나니보다 더 예쁜 인형을 살 거라고 말이야."

엘레나가 고개를 가로젓자 로사리아가 누군지 모르지만 인형을 가져간 사람은 뇌종양에나 걸려버렸으면 좋겠다고 뇌까렸다. 로사리아는 자기뿐 아니라 뱃속의 아이도 이 일 때문에 화가 나 있기 때문에 엘레나의 엄마인 니나보다 더 심하게 인형 도둑을 원망할 권리가 있다고 생각하는 것 같았다. 그에 비해 코라도는 고개를 저으며 로사리아의 말에 반대했다.

"아이들 일이야."

그가 중얼거렸다.

"아이들은 마음에 드는 장난감이 있으면 일단 가져가서 자기들 엄마 아빠에게는 주웠다고 하지."

가까이에서 보니 코라도는 늙어 보이지도 않았고 멀리서 봤을 때처럼 그리 인상이 고약하지도 않았다.

"카루노네 아이들은 아주 어리지도 않아요."

로사리아가 말했다.

"일부러 그런 거예요. 나를 괴롭히려고 애들 엄마가 시킨 거예요."

니나가 평소보다 훨씬 심한 사투리로 분통을 터뜨렸다.

"토니노가 전화했는데 그 집 아이들은 아무것도 가져가지 않았대요."

"카루노가 거짓말하는 거예요."

"설사 그렇다 해도 그런 말은 하는 게 아니에요."

코라도가 니나를 나무랐다.

"토니노가 처남댁 말을 들으면 얼마나 곤란하겠어요?"

니나는 토라져서 아스팔트 바닥을 내려다보았다. 로사리아는 고개를 가로저으며 내게 동의를 구했다.

"제 남편은 너무 착해서 탈이에요. 아이가 얼마나 울었는지 상상도 못 하실 거예요. 하도 울어서 열까지 났답니다. 니나랑 저는 화가 나서 죽겠어요."

나는 그들이 카루노라는 사람의 가족들이 인형을 가져갔다고 생각하고 있다는 것을 어렴풋이 눈치챘다. 카루노네는 아마 모터보트를 타고 온 사람들일 것이다. 그들은 카루노네 가족이 분명 엘레나를 괴롭혀 자기들까지 힘들게 하려 한다고 생각하고 있는 것이었다.

"아이가 숨을 제대로 못 쉬어요. 얘야, 코 좀 풀자."

로사리아는 엘레나에게 말하면서 위압적인 손동작으로 휴지 달라는 시늉을 했다. 나는 가방 지퍼를 열려다가 멈칫했다. 그들이 내가 산 것을 보고 뭐냐고 물어볼까봐 두려웠다. 코라도가 재빨리 손수건을 내밀자 로사리아는 엘레나가 몸을 비틀고 발길질을 하는데도 아랑곳하지 않고 아이의 콧물을 닦아주었다. 나는 다시 지퍼를 잠갔다. 잘 잠겼는지 확인한 다음 나도 모르게 불안한 눈빛으로 점원을 바라봤다가 쓸데없는 걱정이라는 생각에 괜스레 나 자신에게 화가 났다. 나는 니나에게 물었다.

"열이 많이 나나요?"

"약간 높은 정도예요."

니나가 대답했다.

"괜찮아요."

그러고는 아이가 건강하다는 것을 증명이라도 하려는 듯 억지 미소를 지으면서 엘레나를 바닥에 내려놓으려 했다.

엘레나는 거세게 반항했다. 엄마 목을 꽉 껴안고 대롱대롱 매달려 소리를 지르면서 발이 살짝만 땅에 닿아도 발길질을 했다. 니나는 잠시 몸을 앞으로 숙여 불편한 자세로 엘레나의 발길질을 피하면서 아이의 허리를 붙잡고 자기 몸에서 떼어내려 했다. 나는 니나의 인내심이 거의 한계에 다다른 상태라는 것을 느낄 수 있었다. 딸을 이해하는 마음과 자기도 같이 울음을 터뜨리고 싶은 마음 사이에서 오락가락하는 상태라는 것을 알 수 있었다. 해변에서의 목가적인 풍경은 온데간데없고 타인 앞에서 그런 모습을 보이는 것을 속상해 하는 니나의 마음이 느껴졌다.

니나는 분명 몇 시간 동안 아이를 진정시키기 위해 부질없이 애썼을 것이다. 그러느라 지칠 대로 지쳤을 것이다. 외출할 때 예쁜 옷을 입히고 신발을 신겨서 딸의 분노를 숨기고 싶었을 것이다. 그러려고 자기 자신도 잘 어울리는 세련된 와인색 원피스를 입고 머리를 위로 올렸을 것이다. 살짝 튀어나온 턱을 스치며 기다란 목 아래까지 내려와 찰랑이는 귀걸이를 달았을 것이다.

니나는 그런 식으로 추해지는 자기 모습에 대항하고 싶었을 것이다. 기운을 내고 싶었을 것이다. 거울을 볼 때 그 작은 생명체를 세상에 내놓기 전 자신의 모습을 보고 싶었을 것이다. 그 생명체를 영원히 자신의 일부로 받아들여야 한다는 선고를 받기 전의 모습을 다시 보고 싶었을 것이다. 하지만 그래봤자 무슨 소용이 있겠는가.

나는 이제 곧 니나가 소리를 지를 거라고, 엘레나의 뺨을 때릴 거라고 생각했다. 그렇게 해서라도 구속적인 관계를 끊으려 할 거라고 생각했다. 하지만 그래봤자 자신이 교회나 잡지에 나올 법한 다정한 엄마가 못 된다는 사실을 만천하에 드러냈다는 수치심으로 후회하게 될 테고 그 때문에 딸에 대한 구속감은 지금보다 더 복잡하게 꼬이고 더 단단해질 것이다.

엘레나는 악을 쓰고 대성통곡하며 장난감 가게 입구에 뱀 구덩이라도 있는 것처럼 신경질을 내면서 다리를 뻣뻣하게 펴고 버텼다. 엘레나는 믿기 힘들 정도로 활기찬 작은 생명체였다. 아이는 제 발로 서 있기를 거부했다. 엄마 품에 안겨 있고 싶어 했다.

엘레나는 긴장해 있었다. 엘레나는 제 엄마가 지친 것을 알고 있었다. 시내에 나오려고 옷을 차려입는 모습을 봤을 때부터 그랬을 것이다. 제 엄마에게서 반항적인 청춘의 체취와 미에 대한 탐욕을 감지한 것이다. 엘레나는 그래서 엄마한테 딱 달라붙어 있는 것이다. 인형을 잃어버린 것은 제 엄마에게서 떨어지지 않기 위한 핑계일 뿐이라고 나는 생각했다. 엘레나는 엄마가 자기를 버리고 도망가버릴까봐 두려운 것이다.

니나는 그런 아이의 마음을 알아챘는지 아니면 도저히 못 참겠었는지 갑자기 심한 사투리로 쏘아붙였다.

"그만두지 못해!"

니나는 거칠게 엘레나를 다시 안아 올렸다.

"듣기 싫으니 그만하란 말이야! 알겠어? 더는 못 들어 주겠다고. 떼 좀 그만 써!"

니나는 엘레나의 원피스를 무릎 아래로 확 잡아끌었다. 사실 옷이 아니라 아이를 한 대 때리고 싶었을 것이다. 니나는 혼란스러워하며 자책하는 마음에 인상을 쓰면서도 어느새 다시 표준어로 내게 어색하게 말했다.

"죄송해요. 도무지 어떻게 해야 할지 모르겠어요. 아이가 저를 너무 힘들게 해요. 아이 아빠가 없어서 화풀이 대상이 저밖에 없답니다."

로사리아가 한숨을 쉬며 아이를 니나의 품에서 받아들었다.

"고모한테 오렴."

로사리아가 애틋한 목소리로 말했다. 엘레나는 어이없게도 아무런 저항을 하지 않고 바로 고분고분해졌다. 로사리아의 목을 껴안기까지 했다. 엄마한테 심술이 났거나 아니면 지금 이 순간만큼은 아직 아이는 없지만 출산을 기다리고 있는 고모의 품이 엄마보다 훨씬 아늑하다고 생각한 것 같았다.

아이들은 태어나지 않은 아기는 아주 좋아하지만 막상

태어나면 별로 좋아하지 않는다. 로사리아는 그 풍만한 젖가슴 속에 엘레나를 품어줄 것이다. 엘레나를 의자에 앉히듯 배 위에 앉혀놓고 인형 하나 제대로 간수하지 못하고 잃어버린 못된 엄마의 분노로부터 엘레나를 지켜줄 것이다. 엘레나는 고모에게 몸을 맡기고 지나치게 격렬한 애정 표현을 하면서 잔인하게도 이렇게 말하고 있는 것 같았다.

'봐요, 엄마. 나는 고모가 엄마보다 좋아요. 고모가 엄마보다 착해요. 엄마가 저를 이렇게 함부로 다루면 고모한테 도망가서 다시는 엄마를 찾지 않을 거예요.'

"그래. 엄마 좀 쉬게 고모랑 있어."

니나가 못마땅한 듯 얼굴을 찡그리며 말했다. 윗입술에 땀이 맺혀 있었다.

"가끔은 정말이지 도저히 못 참겠어요."

니나가 내게 말했다.

"알아요."

나는 내가 니나 편이라는 것을 알리고 싶은 마음에 이렇게 말했다.

그때 로사리아가 끼어들더니 아이를 꼭 껴안으며 속삭

였다.

"우리 아기 정말 힘들었지?"

로사리아는 엘레나에게 요란스럽게 뽀뽀 세례를 퍼부었다. 아이에 대한 애틋한 마음에 목멘 소리로 말했다.

"우리 예쁜 아기. 아유, 정말 예쁘기도 하지."

로사리아는 자기도 얼른 엄마 대열에 끼고 싶은 것이었다. 로사리아는 지금까지 자기가 너무 오랫동안 기다려왔고 엄마의 역할에 대해서 이미 알 만큼 다 알고 있다고 생각했다. 지금 당장, 특히 내 앞에서 자기가 올케보다 엘레나를 더 잘 다룬다는 사실을 증명해보이고 싶은 마음에 엘레나를 바닥에 내려놓았다.

"엄마랑 레다 부인께 네가 얼마나 착한 아이인지 보여드리렴."

엘레나는 반항하지 않고 고모 옆에 서서 낙담한 표정으로 엄지손가락을 빨았고 로사리아는 흡족해하면서 내게 물었다.

"따님들이 어릴 때는 어땠나요? 우리 엘레나처럼 사랑스러웠나요?"

그 말에 나는 로사리아를 일부러 당황스럽게 하고 싶은

강한 충동을 느꼈다. 로사리아를 혼란스럽게 해서 그녀를 벌하고 싶었다.

"기억이 잘 안 나요."

"어떻게 그럴 수가 있죠? 자식들 일은 잊어버릴 수 없잖아요."

나는 잠시 입을 다물었다 침착하게 말했다.

"제가 아이들 곁을 떠났거든요. 큰애가 여섯 살, 작은애가 네 살 때 저는 아이들 곁을 떠났답니다."

"그게 무슨 말씀이세요? 애들은 누가 키우고요?"

"아이들 아빠가요."

"그런 다음 다시는 안 만난 건가요?"

"3년 후에 다시 데려왔어요."

"정말 끔찍한 일이네요. 왜 그러신 거죠?"

나는 고개를 가로저었다. 나도 그 이유를 몰랐으니까.

"그때 전 정말 지쳐 있었어요."

내가 말했다.

나는 나를 처음 본 사람처럼 바라보는 니나를 향해 말했다.

"때론 살기 위해 도망칠 수밖에 없을 때도 있는 법

이죠."

나는 미소를 지어 보이고 엘레나를 가리켰다.

"아이에게 아무것도 사주지 마세요. 어차피 소용없을 테니 그냥 내버려두세요. 인형은 다시 찾을 거예요. 안녕히 계세요."

나는 그새 고약한 가면을 다시 쓴 로사리아의 남편에게 고개를 끄덕여 보인 후 상점을 나섰다.

15

이제는 나 자신에게 너무 화가 났다. 지금껏 아이들을 버리고 떠났던 시절을 입에 담은 적이 없었다. 친동생들과도 그때 이야기를 나누지 않았고 혼자서도 생각해본 적이 없었다. 비앙카나 마르타에게 따로 또는 둘이 함께 있을 때 은근슬쩍 그때 이야기를 언급했던 적은 몇 번 있었지만 그때마다 아이들은 한마디도 하지 않고 듣는 둥 마는 둥 내 말을 흘려듣다가 그때 일은 기억나지 않는다면서 화제를 다른 쪽으로 돌렸다. 전남편만이 캐나다로 떠나기 전에 그 일을 빌미로 나에 대한 원망과 못마땅한 마음을 표현한 적이 있었다.

하지만 잔니는 섬세하고 똑똑한 사람이었다. 수준 낮은 행동이라는 생각에 수치심을 느끼고 그 일에 대해 더는 묻고 늘어지지 않았다. 나는 내가 왜 그토록 사적인 일을 잘 알지도 못하고 친하지도 않은 사람들에게 고백했는지 더더욱 이해할 수 없었다. 그들이 그렇게 할 수밖에 없었던 당시의 내 사정을 이해해줄 리 만무했다. 아마 벌써 내 욕을 하고 있는지도 모른다. 그렇게 생각하니 도저히 참을 수 없었다. 나 자신을 용서할 수 없었다. 안전한 둥지에서 쫓겨난 느낌이었다.

나는 마음을 가라앉히려고 한동안 광장을 배회했다. 하지만 내가 한 말이 귀에서 맴도는 데다 비난하는 듯한 로사리아의 표정과 말, 니나의 흔들리는 눈동자가 생각나 마음을 가라앉히기가 힘들었다. 오히려 억눌러왔던 분노가 솟구쳤다. 그 여자들은 내게 아무도 아니고 휴가만 끝나면 다시는 안 볼 사람들이니 별일 아니라고 생각해보려 했지만 소용없었다. 그런 생각은 로사리아를 재평가하는 데는 도움이 됐지만 니나는 아니었다. 내가 그 말을 했을 때 니나는 흠칫 놀라면서 내게서 시선을 거두었지만 사실은 계속 나를 바라보고 있었다. 니나는 재빨리 시선을 먼 곳으로 돌려 들킬 위험 없이 나를 쳐다보았다. 나는 갑작스레 나와 거리를 두려는 니나의 행동에 상처를 받았다.

나는 무심하게 잡상인 사이를 지나면서 근래 니나의 모습을 떠올렸다. 니나는 내게 등을 돌리고 서서 느리지만 꼼꼼한 동작으로 탱탱한 다리와 팔과 어깨에 선크림을 바르곤 했다. 마지막으로 몸을 한껏 비틀어 등에 손이 닿는 데까지 선크림을 발랐는데 그 모습을 볼 때마다 나는 자리에서 일어나 내가 도와줄 테니 가만히 있어보라고 말하고 싶은 충동을 느꼈다.

어린 시절 나는 어머니에게도 그렇게 해주고 싶었다. 과거 내 딸들에게는 자주 그렇게 해주었다. 문득 지난 며칠 동안 의도치 않게 멀리서 니나를 바라보면서 그녀를 내 변덕스럽고 모순적인 생각에 끌어들였다는 사실을 깨달았다. 그것은 뭐라 설명할 수 없는, 지극히 개인적인 생각이었다. 내가 지금 이렇게 화가 나는 것은 그 때문이기도 할 것이다.

나는 로사리아에게 대항하기 위해 본능적으로 내 인생의 암울했던 순간을 이용했다. 나는 로사리아에게 충격을 주고 조금 겁을 주고 싶었다. 그만큼 불쾌하고 못된 여자처럼 보였기 때문이다. 하지만 내가 진심으로 그 이야기를 들려주고 싶었던 사람은 니나뿐이었다. 나는 지금과는 다른 상황에서 조심스럽게 내 이야기를 들려주고 싶었다. 니나가 나를 이해해주기를 바랐다.

얼마 지나지 않아 다시 비가 내리기 시작했다. 나는 비를 피해 생선 냄새며 바질, 오레가노, 후추 향이 진동하는 실내 시장으로 들어갔다. 비에 흠뻑 젖은 데다 밀려드는 인파와 웃으면서 달려오는 아이들 때문에 정신이 혼미해져서 몸이 아파왔다. 냄새 때문에 구역질이 났다. 시간이 갈수록 더워지면서 몸이 화끈 달아오르고 땀이 났다. 나중에는 비가 와서 차가워진 바깥 공기 때문에 땀에 젖은 몸이 차갑게 식으면서 순간적으로 현기증까지 났다.

나는 폭포처럼 쏟아지는 비를 바라보는 사람들과 번개가 번쩍이고 천둥이 울릴 때마다 기쁨과 두려움이 뒤섞인 환호성을 지르는 아이들 사이에 낀 채 옴짝달싹 못 하고 시장 입구 쪽에 겨우 자리를 잡았다. 나는 신선한 공기를 마시기 위해 문가에 자리 잡고 어떻게든 긴장을 풀어보려 했다.

솔직히 내가 그리 못할 짓을 한 것도 아니었다. 몇 년 전 방황했던 것은 사실이었다. 그때는 젊은 시절 꿈이 이미 사그라든 것 같았다. 자기 주장을 할 줄 몰라 침묵하거나 화가 나 있던 어머니나 할머니 시대 여자들처럼 퇴보하는 느낌이었다.

너무 많은 기회를 놓쳐버린 것 같았다. 그때만 해도 나는 젊은 피와 온갖 계획으로 가득한 상상을 양분 삼아 의욕이 넘쳤다. 하지만 집착에 가까운 나의 창작욕은 은밀한 거래가 오가는 대학의 현실과 대학에 남기 위해 기를 쓰는 기회주의자들 때문에 거세당하고 말았다. 내 능력을 시험해볼 기회도 얻지 못하고 스스로의 틀 안에 갇힌 것 같았다. 나는 절망에 빠져 있었다.

그러는 동안 사소하지만 우려할 만한 일련의 사건이 일어났다. 단순히 낙담한 마음에서 나온 행동이라고 보기 힘든 일이었다. 상징적인 파괴 행위 그 이상이었다.

지금은 그 시절에 대한 시간 관념이 희미해져서 생각할 때마다 순서가 달라지지만 먼저 생각나는 일은 어느 겨울 오후 부엌에서 공부하고 있을 때 일어난 사건이었다. 그때 나는 몇 달 동안 짧은 논문 하나를 붙들고 끙끙대고 있었다. 그리 길지 않은 글인데도 마무리를 할 수 없었다. 수많은 가설만 머릿속에서 무한대로 증가하고 있었지만 서로 연결지을 수 없었다. 내게 논문을 써보라고 권했던 교수님마저 내 글을 거부하고 출판해주지 않을 것 같아 두려웠다.

그날 마르타는 식탁 아래 내 발치에서 놀고 있었고 비앙카는 내 옆에 앉아 내가 읽고 쓰는 동작과 표정을 똑같이 따라 하고 있었다. 정확히 무슨 일이 있었는지 모르겠다. 아마 비앙카가 내게 말을 걸었는데 내가 대답을 안 했던 것 같다. 아니면 비앙카가 평소에 하던 놀이를 시작한 것일 수도 있다. 그 무렵 비앙카의 놀이는 갈수록 거칠어지고 있었다. 문맥에 맞는 적합한 단어를 찾기 위해 안간힘을 쓰느라 비앙카에게 집중하지 못하고 있는데 누군가 내 뺨을 때렸다.

그렇게 세게 때린 것도 아니었다. 이제 겨우 다섯 살배기 아이인데 때려봤자 얼마나 아팠겠는가. 그런데도 나는 깜짝 놀랐다. 맞은 부분이 화끈 달아올랐다.

검고 날카로운 선이 그렇지 않아도 힘겹게 붙잡고 있던 생각의 끈을 싹둑 잘라버린 느낌이었다. 애당초 두 딸과 함께 앉아 있던 부엌과는 어울리지 않는 생각이었다. 가스레인지에서 보글보글 끓고 있는 저녁에 먹을 소스와는 거리가 먼 생각이었다. 내 연구와 창작 활동, 사회적으로 인정받고 중요한 지위를 차지하고 나를 위해 쓸 수 있는 돈을 벌고 싶은 욕망을 위해 투자할 수 있는 얼마 되지 않는 시간을 소비하며 앞으로 나아가고 있는 시계추와는 동떨어진 생각이었다.

나는 별 생각 없이 비앙카를 때렸다. 세게 때리지는 않았다. 손가락 끝으로 뺨을 살짝 때리는 정도였다.

"다시는 그러지 마."

나는 애써 훈육조로 말했다. 그러자 비앙카는 미소를 지으며 나를 또 때리려 했다. 드디어 엄마가 자기랑 놀아주려나 보다고 생각한 것이었다. 그전에 내가 먼저 비앙카를 때렸다. 아까보다 더 세게 때리면서 말했다.

"비앙카! 다시는 그러지 마!"

비앙카는 이번에는 살짝 어리둥절한 눈빛으로 나를 바라보면서 쉰 소리로 웃었다. 나는 그런 아이를 또 때렸다. 또다시 손바닥을 쫙 펴서 비앙카를 때리고 또 때렸다.

"엄마 때리는 거 아니야. 다시는 그러지 마."

그제야 비앙카는 내가 장난하는 게 아니라는 것을 알고는 서럽게 울기 시작했다.

비앙카의 눈에서 흘러내리는 눈물의 감촉이 아직도 생생하다. 나는 손가락으로 눈물의 감촉을 느끼면서 아이를 계속 때린다. 세게 때리지는 않았다. 통제력을 잃지는 않았지만 갈수록 내 동작은 빠르고 모질어진다. 아이를 훈육하기 위한 행동이 아니었다. 내 행동은 진짜 폭력이었다. 절제되었을지언정 진짜 폭력이었다.

"밖으로 나가!"

나는 소리를 높이지 않고 비앙카에게 말한다.

"엄마 일해야 하니까 밖으로 나가."

나는 비앙카의 한쪽 팔을 움켜쥐고 복도로 질질 끌고 나간다. 비앙카는 울고 악을 쓰면서도 여전히 나를 때리려 한다. 나는 그런 비앙카를 복도에 내버려두고 등 뒤로 문을 쾅 닫는다.

"꼴도 보기 싫어."

부엌문에는 커다란 반투명 유리창이 달려 있었다. 순간 무슨 일이 일어난 건지 정확히 모르겠다. 내가 문을 너무 세게 밀었던 것 같기는 하다. 확실한 것은 문이 쾅 하고 닫히면서 유리가 산산조각 났다는 사실이다. 유리가 있었던 직사각형의 빈 공간 너머로 두 눈을 동그랗게 뜬 자그마한 아이의 모습이 눈에 들어왔다. 비앙카는 이제 고함을 지르지 않았다. 나는 얼이 나간 채 비앙카를 바라보았다. 무슨 일을 저지를지 모른다는 생각에 나 자신이 두려웠다.

비앙카는 꼼짝 않고 가만히 서 있었다. 다친 곳은 없었다. 그저 소리 없이 눈물만 흘리고 있었다. 지금도 그때 일을 생각하지 않으려고 애를 쓰곤 한다. 내 치맛자락을 잡아당기던 마르타와 깨진 유리 너머 복도에서 나를 뚫어지게 바라보던 비앙카. 그때만 생각하면 식은땀이 나고 숨을 쉴 수 없다. 시장 입구에서 비를 피하는 지금 이 순간도 그때처럼 땀이 나고 숨을 쉴 수 없다. 뛰는 가슴을 통제할 수가 없다.

16

빗줄기가 조금 약해지자 나는 가방으로 머리를 가리고 시장에서 뛰쳐나왔다. 특별히 갈 곳은 없었지만 집에 가기는 싫었다. 해변에서의 휴가는 비가 오면 엉망이 되어 버린다. 아스팔트에는 물 웅덩이가 생기고 옷은 너무 가벼워 춥고 발은 비에 적합하지 않은 신발 때문에 흠뻑 젖는다.

어느새 비는 가랑비가 되었다. 나는 길을 건너려다 멈췄다. 맞은편 인도에 로사리아와 코라도 그리고 얇은 스카프로 꽉꽉 싸맨 엘레나를 품에 안은 니나의 모습이 보였기 때문이다. 그들은 지금 막 장난감 가게에서 나와 빠른 걸음으로 이동하고 있었다. 로사리아는 진짜 아이처럼 보이는 새 인형을 보따리처럼 허리춤에 들고 있었다. 그들은 나를 보지 못했다. 아니, 보고도 못 본 척한 것일 수도 있다. 나는 니나가 뒤돌아봐주기를 기도하면서 니나의 모습을 좇았다.

좁은 구름 틈새로 햇볕이 내리쬐기 시작했다. 나는 차에 가서 시동을 켜고 바다로 향했다. 대사 없이 사람들의 얼굴과 동작만이 머릿속을 빠르게 스쳐 지나갔다. 그 이미지들은 어떠한 생각으로 고정되기 전에 나타났다가 사라져버렸다.

나는 빠르게 뛰는 심장박동을 늦추기 위해 가슴에 손가

락 두 개를 올려놓았다. 그렇게 해야 자동차 속도를 줄일 수 있을 것 같았다. 느낌으로는 차를 너무 빨리 모는 것 같은데 실제로는 시속 60킬로미터에 불과했다. 암울한 기분의 속도가 어디에서 비롯하는 것이며 어떤 식으로 전개되는지 알 수 없는 법이다.

예전에 해변에 놀러간 적이 있었다. 전남편 잔니와 그의 동료 마태오 그리고 그의 부인 루칠라와 함께였다. 루칠라는 제대로 교육을 받은 여자였다. 그녀의 직업은 기억나지 않는다. 분명한 것은 루칠라가 종종 나와 아이들과의 관계를 힘들게 만들었다는 사실이다.

평소 루칠라는 상냥하고 이해심이 많았다. 나를 비난하지도 않았고 내게 못되게 굴지도 않았다. 하지만 어떻게든 비앙카와 마르타의 환심을 얻고 싶어 했다. 내 딸들의 사랑을 독차지하고 자기가 어린아이 같은 순진하고 순수한 마음을—루칠라 스스로 그렇게 말했다—지니고 있다는 사실을 증명하려 했다. 지금의 로사리아처럼 말이다.

이럴 때는 문화적 차이나 사회적 계층 차이가 별 의미가 없다. 마태오와 루칠라가 우리 집에 오거나 함께 시외로 소풍을 가거나 휴가를 떠날 때면—이제부터 내가 이야기할 사건도 휴가 중에 일어났다—나는 항상 긴장했고 더 불행해졌다. 남편들이 직장 이야기나 축구 이야기나 이런저런 이야기를 나눌 때도 루칠라는 나와 수다를 떨지 않았다. 루칠라는 내게 관심이 없었다. 루칠라는 나 말고 비앙카와 마르타와 놀았다. 루칠라는 아이들의 관심을 독차지했다. 아이들을 위해서 새로운 놀이를 만들어내고 어린아이 흉내를 내면서 함께 놀았다.

루칠라는 내 딸들의 마음을 사로잡는다는 목표를 달성하기 위해 항상 총력을 기울였다. 비앙카와 마르타가 자기한테 홀딱 빠져서 그렇게 가끔 한두 시간을 함께 보내는 정도가 아니라 한평생 자기와 살고 싶어 할 지경에 이르면 오히려 아이들에게서 신경을 끊었다.

나는 루칠라가 아이 흉내를 내는 모습이 거슬렸다. 나는 평소 비앙카와 마르타에게 아기 목소리를 내거나 인상을 찡그리지 말라고 가르쳤는데 루칠라는 그런 표정을 많이 짓고 어른들 기준에 아이 같은 목소리 흉내도 잘 냈다. 그녀는 내 딸들까지 자신의 가식적인 말투를 따라 하게 만들었다.

루칠라 때문에 딸들의 말투가 아이 같아지더니 나중에

는 행동까지 퇴보했다. 나는 조금이라도 나만의 시간을 가지기 위해서 아이들이 스스로 알아서 행동할 수 있도록 힘겹게 습관을 들여왔다. 그런데 루칠라가 도착하면 그런 내 노력은 몇 분 만에 수포로 돌아갔다. 루칠라는 등장하는 순간부터 섬세하고 상상력이 풍부하고 명랑하며 언제나 뭐든 다 해줄 준비가 된 착한 엄마 역할을 연기했다. 못된 년 같으니라고. 나는 물 웅덩이를 피하지 않고 차를 몰았다. 물을 더 많이 튀기려고 일부러 물 웅덩이 위로 지나갔다.

그때의 분노가 마음속에 고스란히 되살아났다.

'산책할 때나 휴가 갔을 때나 우리 집에 놀러왔을 때 아이들과 한두 시간 놀아주기야 쉽지.'

루칠라는 그 후에 일어날 일에 대해서는 전혀 관심이 없었다. 내가 세워놓은 규율 체계를 엉망으로 만들어놓고 나만의 영역을 짓밟아버린 후 자기는 자신의 영역으로 물러나 버렸다. 자기 남편을 보살피고 자기 일과 성공에 전념했다.

루칠라는 겸손한 척하면서 끊임없이 자기 직장 자랑을 늘어놓곤 했다. 하지만 결국 마지막에 남는 사람은 나였다. 나는 24시간 아이들의 시중을 들어야 하는 못된 엄마였다. 나는 어질러진 집을 정리하고 루칠라가 다녀간 후 힘들어하는 아이들에게 다시 원래 행동지침을 가르쳐야 했다. 아이들은 말했다.

"루칠라 이모는 이렇게 말했어요."

"루칠라 이모가 이렇게 해줬어요."

못된 년. 못된 년 같으니라고.

아주 드물고 잠깐이었지만 가끔 희미한 복수의 쾌감을 음미하기도 했다. 예컨대 루칠라가 방문 시기를 잘못 선택할 때가 있었다. 그럴 때는 비앙카와 마르타가 자기들만의 놀이에 너무 집중해서 루칠라 이모의 놀이를 대놓고 거부하거나 억지로 하는 시늉은 했지만 재미없어 했다. 그러면 루칠라는 아무렇지 않은 듯 행동했지만 실은 씁쓸해했다.

나는 루칠라가 친구들한테 따돌림당한 또래 아이처럼 상처받는다는 것을 눈치챘다. 솔직히 기분이 좋았지만 그 상황을 어떻게 이용해야 내게 유리한지 몰랐다. 나는 유리한 상황을 제대로 이용해본 적이 한 번도 없었다. 나는 금세 마음이 약해졌다. 아마 내 마음속 깊은 곳에 아이들을 향한 루칠라의 애정이 식는 것을 두려워하고 속상해하는 마음이 있었던 것 같다. 그래서 나는 얼마 못 버티고 변명하듯 말했다.

"아이들이 자기들끼리 노는 데 익숙해져서 그래. 그렇게 습관이 들었거든. 내 딸들이지만 가끔은 무슨 일이든 지나치게 자기들끼리 알아서 하려는 것 같기도 해."

루칠라는 기운을 차리고 내 말에 동조했다. 그러고는 은근히 내 딸들을 깎아내리기 시작했다. 그녀는 아이들의 단점과 문제점을 늘어놓았다. 루칠라 말로는 비앙카는 너무 이기적이고 마르타는 너무 섬약했다. 한 아이는 상상력이 너무 부족한 데 비해 한 아이는 상상력이 지나치게 풍부했다. 큰아이는 위험할 정도로 성격이 폐쇄적이었고 작은아이는 변덕스러운 데다 버릇이 없었다. 그녀의 말을 듣다보면 나의 소소한 쾌감이 이내 변질되는 것이 느껴졌다. 나는 루칠라가 내게 상처를 줌으로써 자신을 거부한 아이들에게 앙갚음하고 있다는 사실을 깨달았다. 내가 내 딸들의 공범이라도 되는 것처럼 말이다. 나는 다시 괴로워졌다.

그 시절 루칠라에게서 받은 상처는 너무나 컸다. 아이

들과 놀이를 하면서 잘난 척할 때도, 아이들에게 소외당해 원통해할 때도 결국은 내 모든 것이 틀렸다는 생각이 들게 했다. 나는 자존감이 너무나 강해서 엄마 노릇을 하기에 적합한 사람이 아니라는 생각이 들게 만들었다. 못된 년. 정말이지 몹쓸 년이었다.

해변에서 그 사건이 일어났을 때도 그런 기분이었던 것 같다. 7월의 어느 날 아침 루칠라는 비앙카를 끼고돌면서 마르타를 따돌렸다. 마르타가 아직 어려서 놀이에 끼워주지 않은 것일 수도 있고 마르타가 멍청해서 그랬을 수도 있다. 아니면 비앙카를 데리고 놀 때보다 마르타를 데리고 놀 때 만족도가 낮아서일지도 모른다. 정확한 이유는 나도 잘 모르겠다. 확실한 것은 루칠라가 한 말 때문에 마르타가 울었고 내 마음이 상했다는 사실이다.

나는 칭얼거리는 마르타를 대화에 폭 빠져서 정신이 없는 잔니와 마태오가 있는 파라솔 아래 놓아둔 뒤 수건을 챙겨들고 바다 가까이 가서 지칠 대로 지친 몸을 햇살 아래 뉘였다. 그런데 마르타가 내 뒤를 졸졸 따라왔다. 마르타가 두 살 반에서 세 살 정도 됐을 때였다. 마르타는 엄마랑 놀려고 아장아장 걸어와 내 배 위에 모래투성이 몸을 기대었다. 나는 몸에 모래가 묻는 것도 남이 내 물건을 더럽히는 것도 싫어한다.

나는 잔니에게 당장 와서 아이를 데려가라고 소리 질렀다. 잔니는 내가 폭발하기 일보 직전이라는 것을 눈치채고 곧바로 달려왔다. 잔니는 내가 난리를 피울까봐 두려워했다. 그럴 땐 내가 통제 불가 상태라는 사실을 잘 알고 있기 때문이다.

그 당시 나는 공적인 장소와 사적인 장소를 구분하지 못했다. 다른 사람들이 나를 쳐다보고 나를 판단해도 아랑곳하지 않았다. 나는 연극을 하는 것처럼 내 분노를 표출하고 싶은 강한 욕망을 느꼈다.

"아이 좀 데려가!"

나는 잔니에게 소리 질렀다.

"도저히 못 참겠어!"

왜 마르타에게 짜증이 났는지는 아직도 모르겠다. 가여운 마르타. 루칠라가 못되게 굴었기 때문에 나라도 마르타를 보호해줘야 했다. 그런데도 나는 마르타를 깎아내리는 루칠라의 말을 믿는 것처럼 행동하고 있었다. 마르타가 정말로 멍청한 데다 항상 찡찡대기만 하는 것 같았다.

더는 그 모든 상황을 감당할 수 없었다.

잔니가 마르타를 품에 안고 내게 진정하라는 눈빛을 보냈다. 나는 분노에 가득 차 잔니에게서 등을 돌리고 모래와 더위를 씻어내기 위해 바다에 뛰어들었다. 해변으로 돌아와 보니 잔니가 루칠라와 함께 비앙카와 마르타를 데리고 놀고 있는 모습이 눈에 들어왔다. 루칠라가 웃자 마태오도 그들에게 다가갔다. 그새 루칠라가 생각을 바꾼 것이었다. 이제 와서 마르타와 놀아줄 만하다고 생각하게 된 것이다. 내게 그 사실을 증명하기로 마음먹은 것이다.

마르타가 미소 짓는 모습이 눈에 들어왔다. 코를 훌쩍이기는 했지만 그래도 정말 행복해보였다. 1분이 지나고 2분이 지났다. 그 광경을 바라보는 동안 내재되어 있던 나의 파괴 본능이 느껴졌다. 순간 별 생각 없이 귀를 만졌는데 한쪽 귀걸이가 없었다. 비싼 귀걸이는 아니었다. 그 귀걸이를 좋아하기는 했지만 특별한 애착은 없었다. 그런데도 나는 흥분해서 남편에게 귀걸이 한 짝이 없어졌다고 악을 쓰기 시작했다. 수건 위를 살펴보았지만 귀걸이는 없었다. 나는 한층 소리를 높여 귀걸이가 없어졌다고 외치면서 분노의 여신처럼 그들의 놀이를 중단시켰다.

"너 때문에 귀걸이를 잃어버렸잖아!"

나는 악에 받쳐 마르타에게 소리쳤다. 마르타가 나와 내 삶 전체에 영향을 미칠 만큼 심각한 일을 저지르기라도 한 것처럼. 나는 내가 왔던 길로 되돌아가 손발로 모래를 파헤치기 시작했다. 잔니와 마태오도 귀걸이 찾기에 합류했다. 루칠라만 변함없이 아이들과의 놀이에 몰두해서 자기 자신뿐 아니라 내 딸들을 내 감정적 동요에 휩쓸리지 않게 만들었다.

나중에 집에 와서 비앙카와 마르타가 듣는 데서 다시는 루칠라를 보고 싶지 않다고, 다시는 그 멍청한 년을 보고 싶지 않다고 잔니에게 소리쳤다. 잔니는 편히 살고 싶은 마음에 그러겠다고 했다.

나와 헤어진 후 잔니는 루칠라와 관계를 가졌다. 어쩌면 잔니는 루칠라가 자신을 위해 그녀의 남편을 떠나기를 바랐을 수도 있다. 비앙카와 마르타를 돌봐주기를 바랐을 수도 있다. 하지만 루칠라는 그 무엇도 하지 않았다. 잔니에 대한 사랑은 진심이었을 것이다. 그것은 확실했다. 하지만 그녀는 자기 남편과 헤어지지 않았고 비앙카와 마르타를 돌봐주지도 않았다.

그 후 루칠라가 어떻게 살았는지는 잘 모른다. 여전히 자기 남편과 살고 있는지 이혼했는지 재혼했는지 아이는 낳았는지 그녀에 대해 아는 바가 하나도 없다. 그때만 해도 우리는 아직 어렸었다. 지금 루칠라는 어떻게 변했을까. 지금 그녀는 어떤 생각을 하고 무엇을 하고 있을까.

17

나는 주차를 하고 빗방울이 떨어지는 소나무 숲을 가로질렀다. 모래언덕에 도착했지만 비치하우스에는 아무도 없었다. 지노도 비치하우스 사장도 보이지 않았다. 비 때문에 땅이 울퉁불퉁 패인 모래사장 위로 하얀 띠 같은 파도가 가볍게 부딪히고 있었다.

나는 나폴리 사람들의 자리까지 걸어가 니나와 엘레나가 머무는 파라솔 아래 멈춰 섰다. 아이의 수많은 장난감들이 의자와 침상 밑에 쌓여 있었고 일부는 커다란 비닐 봉지 안에 들어 있었다. 니나가 은밀한 부름에 이끌리거나 아니면 우연히라도 혼자 여기에 왔으면 좋겠다고 생각했다. 침상을 두 개 펼치고 나란히 누워 바다를 바라보면서 그녀에게 차분히 내 이야기를 들려주고 싶었다. 그러다보면 자연스레 손이 스치기도 하겠지.

내 딸들은 매순간 나와는 정반대가 되려 한다. 둘 다 똑똑하고 뛰어난 아이들이다. 남편은 딸들을 자신이 걸어온 길로 인도하고 있다. 비앙카와 마르타는 두려움을 이기고 결연하게 세상을 향해 돌풍처럼 질주할 것이다. 나나 자기들 아빠보다 훨씬 크게 성공을 거둘 것이다.

2년 전이었다. 비앙카와 마르타가 언제 돌아오겠다는 기약 없이 내 곁을 떠날 것이라는 사실을 예감했을 때 먼 옛날 내가 아이들을 버리고 떠났을 때의 상황을 자세히 설명하는 장문의 편지를 쓴 적이 있다. 그럴 수밖에 없었던 이유를 설명하기 위해서가 아니었다. 사실 뚜렷한 이유가 있었던 것도 아니니까. 그보다는 지금으로부터 15년도 더 지난 먼 옛날에 내가 어떤 충동 때문에 아이들 곁을 떠났었는지 설명해주고 싶었다.

나는 편지를 두 부 준비해 비앙카와 마르타의 방에 하나씩 놓아두었다. 하지만 그 후 아무 일도 일어나지 않았다. 아이들은 내게 답장을 보내지도 않았고 그때 일에 대해서 이야기하자는 말을 꺼내지도 않았다. 딱 한 번 내가 조금 섭섭한 기색을 내비치자 비앙카가 현관문을 나서며 내게 쏘아붙였다.

"편지나 쓰고 있을 여유 있는 엄마가 부럽네요."

딸들에게 속내를 털어놓을 생각을 한 내가 어리석었다. 딸들이 적어도 오십은 될 때까지 기다렸어야 했다. 나를 엄마라는 역할이 아닌 하나의 인격체로 봐달라고 요구하기에는 너무 일렀다.

나는 너희들의 역사이자 기원이라고, 그러니 내 말을 들으면 도움이 될 거라고 말하기에는 때가 너무 일렀다. 하지만 니나에게만큼은 나는 이미 흘러가버린 역사가 아니었다. 니나라면 내게서 과거가 아닌 미래를 볼 수 있을 것 같았다. 나는 타인인 니나를 딸처럼 대하며 외로움을 달래고 싶었다. 니나를 찾고 싶었다. 니나와 가까워지고 싶었다.

나는 잠시 그 자리에 머물며 마른 땅이 나올 때까지 발로 모래를 팠다. 인형을 가지고 왔다면 여기 축축한 땅 아래 인형을 묻어놓았을 텐데… 하지만 후회하지 않았다.

물론 그랬으면 완벽했을 것이다. 누군가 자연스럽게 인형을 발견했을 것이다. 나는 내심 엘레나가 아니라 니나가 인형을 찾았으면 했다. 니나가 인형을 찾으면 나는 그녀에게 다가가 이제 만족하느냐고 물을 것이다. 하지만 나는 인형을 가져오지 않았다. 그럴 생각조차 하지 못했다. 대신 나니에게 새 옷과 새 신발을 사주었다. 무의미한 일이다. 아니 지금껏 겪어온 수많은 소소한 사건처럼 의미는 있지만 내가 그 의미를 찾지 못한 것뿐일 수도 있다. 나는 해안을 향해 걸음을 옮겼다. 지칠 때까지 걷고 싶었다.

나는 가방을 어깨에 메고 한 손에는 샌들을 들고 발을 바닷물에 담근 채 한참을 걸었다. 텅 빈 해변에서 아주 가끔씩 사랑에 빠진 연인들과 마주쳤다.

마르타가 한 살이 되었을 때 더 이상 남편을 사랑하지 않는다는 사실을 나는 깨달았다. 힘든 한 해였다. 마르타가 도무지 잠을 자지 않는 바람에 덩달아 나도 잠을 자지 못했다.

육체적인 피로는 돋보기 기능을 한다. 나는 너무 지쳐서 공부할 수도 생각할 수도 없고, 웃지도 울지도 못했다. 지나치게 똑똑하고 인생의 목표를 달성하기 위한 자기 자신과의 싸움에는 억척스러울 만큼 열중하지만 내게 존재감이 너무 부족한 그 남자를 나는 사랑할 수 없었다. 사랑을 하려면 그럴 만한 기력이 있어야 하는데 내겐 그럴 기력조차 없었다. 잔니가 내 몸을 쓰다듬고 입을 맞출 때마다 나는 신경이 날카로워졌다. 오롯이 남편의 쾌락을 충족시키기 위해 자극을 느끼도록 강요당하는 것 같았다.

서로를 진심으로 사랑한다는 것이 어떤 의미인지 옆에서 직접 본 적이 있다. 그때 나는 진정한 사랑이 발산하는 강력하고 즐거운 무모함을 목격했었다.

잔니는 칼라브리아 사람이었다. 그가 태어난 산골마을에는 지금도 가족별장이 있다. 대단한 집은 아니지만 공기가 맑고 경치도 좋아서 몇 년 전까지만 해도 그곳에서 아이들과 함께 크리스마스와 부활절을 보내곤 했다.

별장에 도착하기까지 자동차 여행은 만만치 않았다. 잔니는 운전하는 동안 딴생각에 빠져 입을 열지 않았고 나는 징징거리는 비앙카와 마르타를 윽박지르거나 노래를 불러 아이들의 주의를 분산시켜야 했다. 아이들은 쉴 새 없이 뭔가를 먹어대고 짐 가방 속에 넣은 장난감을 꺼내 달라고 하고 화장실에 다녀온 지 얼마 안 됐으면서 또 소변이 마렵다고 했다. 봄이었지만 아직 겨울의 기운이 남아 있었다. 날이 저물어 가는데 진눈깨비가 흩날렸다. 그때 도로변 휴게소에 한 커플이 추위에 떨면서 히치하이킹을 하고 있는 모습이 보였다.

잔니는 거의 본능적으로 차를 세웠다. 전남편은 원래 아량이 넓었다. 나는 아이들 때문에 앉을 자리가 없는데 어쩔 셈이냐고 했지만 결국 둘을 우리 차에 태웠다. 영국 사람들이었는데 머리가 희끗희끗한 남자는 마흔쯤 되어 보였고 여자는 서른도 채 안 된 것 같았다.

처음에 나는 그 사람들 때문에 상황이 더 복잡해지고 아이들을 조용하게 하느라 더 힘들어질 거라는 생각에 한마디도 하지 않고 쌀쌀맞게 굴었다. 말은 주로 잔니가 했다. 그는 모르는 사람들과 사귀는 것을 좋아했다. 특히 외국인과 친해지고 싶어 했다. 잔니는 예의는 지키면서도 상투적이지 않은 이런저런 질문을 던졌다. 둘 다 갑자기 일을 그만두었다고 했다. 그들의 직업이 무엇이었는지는 기억나지 않는다. 직장을 그만두면서 가족과도 헤어졌다고 했다. 여자는 젊은 남편 곁을, 남자는 아내와 아직 어린 세 아이 곁을 떠났다고 했다. 둘은 벌써 몇 달 동안 최소한의 경비로 유럽여행을 하는 중이었다. 남자가 진지하게 말했다.

"중요한 것은 우리가 함께라는 사실이죠."

여자는 그 말에 동의하며 내게 이런 말을 했다.

"어릴 때부터 사람들은 꼭 해야 하는 일이라는 생각 때문에 많은 일을 억지로 하죠. 하지만 지금 우리가 겪고 있는 일이야말로 제 평생 일어난 단 하나의 유의미한 일이에요."

그 말을 듣는 순간 나는 그들이 좋아졌다. 밤이 되자 우리는 내륙으로 들어가는 쪽으로 방향을 바꿔야 해서 두 사람을 고속도로 변이나 인적이 드문 주유소에 내려줘야 할 때가 되었다. 그때 나는 잔니에게 말했다.

"우리 집에 데려가자. 날씨도 춥고 이미 어두워졌잖아. 내일 가까운 톨게이트에 데려다주지 뭐."

커플은 겁에 질린 아이들의 시선 속에서 식사를 했다. 나는 둘에게 오래된 소파침대를 펴주었다. 그때부터는 둘이 커플로서뿐 아니라 각자 강한 기운을 발산하는 것이 느껴졌다. 그 기운이 확연하게 주변에 퍼지며 내 혈관에 스며들고 머릿속을 밝혀주는 것 같았다.

나는 지나치게 상기된 상태로 이야기를 늘어놓기 시작

했다. 오직 그들에게만 털어놓을 수 있을 것 같은 이야기가 너무 많았다. 둘은 내 영어가 완벽하다고 칭찬했다. 잔니는 약간 비아냥조로 나를 뛰어난 영미 현대문학 전문가라고 소개했다. 나는 그렇지 않다면서 내 연구 분야를 설명해주었다. 둘 다 내 일에 관심이 많았다. 평소와는 달리 여자 쪽이 내 일에 더 관심을 보였다.

나는 둘 중에서 특히 여자에게 매력을 느꼈다. 여자의 이름은 브랜다였다. 그날 저녁 내내 나는 브랜다와 이야기를 나누며 그녀처럼 자유롭게 여행하는 상상을 했다. 매순간 서로를 열렬히 갈망하는 그런 남자와 함께.

모든 것을 처음으로 되돌리는 거다. 관습에 얽매이지도 않고 모든 일이 뻔하게 느껴져서 감각이 무뎌지지 않은 상태로 되돌아가는 거다. 내 자신의 본모습을 유지한 상태. 어지러이 뒤얽힌 욕망과 꿈의 타래 이외의 그 어떤 번뇌도 나의 사유를 방해하지 않는 그런 상태. 탯줄이 끊어진 이래로 누구에게도 속박당한 적이 없는 그런 상태로.

아침에 작별인사를 하면서 이탈리아어를 조금 할 줄 아는 브랜다가 내가 쓴 글 중에서 읽을 만한 것을 달라고 했다.

'내가 쓴 것이라…'

나는 씁쓸한 마음으로 그 표현을 되씹어보았다.

나는 몇 페이지 안 되는 기고문의 초라한 발췌본을 브랜다에게 내밀었다. 2년 전에 실린 짧은 기고문의 발췌본이었다. 마침내 두 사람은 다시 길을 떠났고 남편은 그들을 고속도로까지 바래다주었다.

그들이 떠난 후 나는 집 정리를 했다. 우울한 기분으로 조심스레 그들이 사용했던 침대를 정리하면서 브랜다의 벗은 몸을 상상했다. 브랜다의 다리 사이로 액체처럼 흐르는 짜릿함이 느껴졌다. 그것은 나의 짜릿함이기도 했다. 결혼 후 처음으로, 비앙카와 마르타를 낳은 후 처음으로 나는 내가 사랑했던 남자와 딸들에게 이제 그만 떠나야겠다고 말하는 상상을 했다. 나는 잔니와 비앙카와 마르타가 나를 고속도로까지 바래다주는 상상을 했다. 나를 두고 떠나는 남편과 아이들에게 손을 흔들며 인사하는 상상을 했다.

그 상상은 꽤나 오랫동안 머릿속에서 지워지지 않았다. 나는 종종 브랜다처럼 가드레일에 앉아 내가 그녀가 되는 상상에 빠지곤 했다. 정말로 가족 곁을 떠나기 전까지 일이 년 동안은 그런 상상을 하며 지냈던 것 같다. 힘든 시기였다. 사실 딸들 곁을 떠나야겠다고 생각한 적은 한 번도 없었다. 그것은 너무나 끔찍하고 멍청할 정도로 이기적인 생각처럼 느껴졌다. 하지만 남편을 떠나야겠다는 생각은 했다. 나는 그 말을 하기 적합한 때를 기다렸다. 기다리다 지치고 다시 기다리기를 반복했다. 기다리다보면 언젠가는 무슨 일이든 일어날 것 같았지만 갈수록 모든 일에 신물이 났다. 나 자신이 점점 위험한 존재가 되어가는 것 같았다. 나는 좀처럼 마음을 가라앉히지 못했다. 피로조차 내 마음을 가라앉히지 못했다.

대체 얼마 동안 걸은 걸까. 나는 시계를 보고 비치하우스 쪽으로 발걸음을 돌렸다. 발목이 아팠다. 그새 하늘이 맑아지고 따가운 햇볕이 내리쬐기 시작했다. 사람들은 옷을 입거나 수영복 차림으로 유유자적 해변으로 몰려들었다. 파라솔이 하나둘 다시 펼쳐지고 휴양지로 복귀하는 사람들의 끝없는 행렬이 해안 산책로를 따라 길게 이어졌다.

걷다보니 한 무리의 소년이 피서객들에게 뭔가를 나눠주는 모습이 눈에 들어왔다. 소년들이 있는 곳에 다다랐을 때야 나는 그들이 누군지 알아보았다. 소년들은 나폴리에서 온 니나의 친척들이었다. 소년들은 자기들끼리 무슨 놀이라도 하는 것처럼 각자 꽤 많은 분량의 전단지를 들고 나눠주고 있었다. 한 소년이 나를 알아보았다.

"저 아줌마에게는 줄 필요 없어."

그래도 나는 전단지를 받아들고 걸어가면서 훑어보았다. 니나와 로사리아가 고양이나 강아지를 잃어버렸을 때처럼 인형 찾는 전단지를 만든 것이었다. 종이 한가운데에는 엘레나가 자기 인형을 안고 있는 흉한 사진과 함께 휴대폰 번호가 큼지막이 적혀 있었다. 읽는 이의 감성을 자극하려는 의도로 인형이 없어지는 바람에 아이가 고통받고 있다는 문구가 몇 줄 있었다. 인형을 찾아주는 사람에게 넉넉한 사례를 하겠다는 문구도 있었다. 나는 전단지를 꼼꼼히 접어 가방 속에 든 나니의 새 옷 옆에 넣어두었다.

18

저녁식사를 마친 후 나는 싸구려 와인에 취해 숙소로

돌아왔다. 조반니가 친구들과 함께 바람을 쐬고 있는 바 앞을 지나는데 내 모습을 본 그가 일어나서 고개를 끄덕여 보이며 같이 합석하자는 듯 와인잔 든 손을 들어 보였다. 나는 그의 초대에 응답하지 않았지만 나의 무례함에 대해 후회가 되지는 않았다.

나는 너무 불행했다. 온몸이 분해되는 느낌이었다. 고이 쌓인 한 줌의 먼지가 되어 하루 종일 바람에 휘날리다 아무런 형태도 갖추지 못한 채 공중에 멈춰선 느낌이었다. 나는 가방을 소파 위에 내던졌다. 테라스 문도 침실 창문도 열지 않은 채 부엌으로 가 물에 수면제 몇 방울을 타 마셨다. 수면제를 마시다가 탁자 위의 인형이 눈에 띄었다. 가방 안에 든 인형 옷이 생각나 수치심이 들었다. 나는 인형 머리를 잡고 거실로 가져가 소파에 몸을 파묻고 인형을 허벅지 위에 엎드린 자세로 올려놓았다.

인형은 커다란 엉덩이와 곧은 등 때문에 우스꽝스러워 보였다.

"옷이 잘 맞나 한번 보자꾸나."

나는 성난 목소리로 크게 말했다. 가방에서 옷과 팬티, 양말 그리고 신발을 꺼냈다. 엎드린 자세 그대로 옷을 입혀보니 사이즈가 꼭 맞았다. 내일이 오면 나는 곧바로 니나에게 가서 이렇게 말할 것이다.

"이것 좀 보세요. 어제저녁에 소나무 숲에서 인형을 찾았어요. 따님이랑 같이 가지고 놀 수 있게 오늘 아침에 제가 인형 옷도 사왔답니다."

나는 불만스레 한숨을 내쉬었다. 인형과 인형 옷을 소파에 내버려두고 일어나려다 인형 입에서 또 까만 액체가 흘러나와 치마가 더러워졌다는 사실을 알았다.

나는 자그마한 구멍 주위를 감싸고 있는 인형의 오므린 입술을 살펴보았다. 입술은 몸의 다른 부분보다 더 부드러운 플라스틱 재질로 되어 있어서 손가락으로 조금만 눌러도 쏙 들어갈 것 같았다. 입술을 조심스레 벌리자 구멍이 커지면서 인형이 잇몸과 유치를 드러내며 미소 지었다. 그 모습이 혐오스러워 나는 곧바로 인형의 입에서 손을 떼고 세차게 흔들었다. 인형 뱃속에서 물이 출렁거렸다. 모래가 섞인 더럽고 냄새나고 오래된 액체로 가득 찬 인형의 뱃속을 상상했다. 엄마와 딸의 일에 나는 대체 무슨 생각으로 끼어든 것일까.

그날 밤 나는 깊은 잠을 잤다. 아침이 되자 소지품과 책,

공책, 인형 옷과 인형을 가방에 챙겨 넣고 해변으로 향했다. 차에서 데이비드 보위의 옛 앨범을 들었다. 가는 내내 계속 「The man who sold the world」 한 곡만 반복해서 들었다. 그 곡은 내 청춘의 일부였다.

나는 전날 비가 내린 덕에 선선하고 촉촉해진 소나무 숲을 가로질렀다. 가끔 소나무 기둥에 엘레나의 사진이 실린 전단지가 보였다. 전단지를 보니 웃음이 나왔다. 인상 고약한 코라도가 내게 넉넉한 보상금을 줄 수도 있겠다 싶었다.

지노는 나에게 매우 친절했다. 지노를 보면 기분이 좋아졌다. 알아서 선배드를 펴서 햇볕에 말려 놓은 데다 가방을 들어주겠다고 고집을 피우며 파라솔까지 바래다주었다. 그러면서 지나치게 친한 척하지는 않았다. 영리하고 분별력 있는 청년이었다.

나는 그를 돕고 싶었다. 그가 학업을 제대로 마치도록 용기를 북돋아주고 싶었다. 책을 읽기 시작했지만 집중이 잘 되지 않았다. 지노도 의자에 앉아 공부할 책을 꺼내고는 우리 사이의 동질감을 강조하듯 나를 향해 살짝 웃어 보였다.

니나의 모습은 아직 보이지 않았다. 엘레나도 마찬가지였다. 전날 전단지를 나눠주던 소년들은 벌써 나와 있었다. 그러다 조금 느지막하게 특정한 순서 없이 니나의 사촌들과 형제들, 시동생들을 비롯한 온 가족이 모습을 드러내기 시작했다. 마지막으로 정오가 다 되어서야 로사리아와 코라도가 도착했다. 로사리아는 수영복 차림이었다. 로사리아는 임산부의 특권으로 다이어트 따위에는 신경 쓰지 않는 자신 있는 태도로 호들갑 떠는 기색도 없이 많이 불러온 배를 드러내고 앞장서서 걸어왔고 코라도는 셔츠에 반바지, 슬리퍼 차림으로 아내 뒤를 무심히 걸었다.

마음이 다시 불안해지면서 심장이 세차게 뛰었다. 니나는 분명 해변에 오지 않을 것이다. 엘레나가 아픈 모양이었다. 나는 포기하지 않고 로사리아 쪽을 바라보았다. 로사리아는 표정이 어두웠고 내게 눈길 한 번 주지 않았다. 지노라면 뭔가 알 것 같아 지노를 찾았지만 그의 자리는 비어 있었고 책은 펼쳐진 채 의자에 버려져 있었다.

로사리아가 자기 파라솔을 떠나 혼자 양반걸음으로 바다를 향하는 순간 나는 그녀를 향해 다가갔다. 로사리아는 나를 달가워하지 않았고 굳이 그런 감정을 숨기려

하지도 않았다. 뭘 물어도 쌀쌀맞게 단답형으로만 대답했다.

"엘레나는 좀 어때요?"

"감기에 걸렸어요."

"열이 있나요?"

"조금요."

"니나는요?"

"니나는 자기 딸이랑 있어요. 당연한 거 아닌가요?"

"전단지를 봤어요."

로사리아는 못마땅한 표정을 지었다.

"토니노에게 그래봤자 소용없다고 말했는데도 전단지를 돌렸지 뭐예요. 빌어먹을 시간 낭비일 뿐인데 말이에요."

로사리아는 사투리를 표준어로 통역한 듯한 말투로 이야기했다. 나는 하마터면 이렇게 말할 뻔했다.

"그래요. 소용없는 일이죠. 빌어먹을 시간 낭비일 뿐이에요. 인형은 나한테 있어요. 엘레나에게 가져다줄게요."

하지만 로사리아의 적대적인 말투 때문에 나는 진실을 털어놓는 것을 단념했다. 니나가 아니라면 로사리아를 포함한 그녀의 가족 중 어느 누구에게도 내가 인형을 가지고 있다는 사실을 이야기하고 싶지 않았다. 평소 나는 나폴리에서의 내 유년 시절과 비교하며 우울한 마음으로 그들을 관찰하곤 했다. 하지만 오늘만큼은 그들이 단순한 관람의 대상처럼 느껴지지 않았다. 오늘은 그들이 나와 동시대 사람들처럼 느껴졌다. 아직도 이따금 발을 헛디뎌 미끄러지곤 하는 질척거리는 내 삶의 일부처럼 느껴졌다. 그들은 내가 아주 어린 소녀 시절부터 도망치고 싶었던 내 친척들과 똑같았다. 나는 내 친척들을 견디기 힘들었다. 그런데도 그들은 나를 꼭 붙잡고 놓아주지 않았고 나 역시 아직도 그들을 내면에 간직하고 있다.

삶이란 구조적으로 아이러니한 면이 있다. 열서너 살 때부터 나는 부르주아적 예의범절과 훌륭한 표준어와 교양 있고 분별력 있는 수준 높은 삶을 갈망했다. 내게 나폴리는 언제나 거친 파도 같았다. 그 파도에 휩쓸려 익사할까봐 두려웠다. 나는 나폴리에 사는 이상 어린 시절 보고 배운 삶 외에는 그 어떤 형태의 삶도 불가능할 거라고 생각했다. 포악하거나 감각적으로 무디거나 감성적으로 천박한 삶. 나락에 빠진 비참한 인생일망정 지켜보겠다고 고집스레 방어막을 쌓는 그런 종류의 삶이었다. 과거에도 미래에도 나는 그런 삶을 원치 않았다. 나는 불에 탄 피부를 벗겨내야만 나을 수 있다고 믿고 비명을 지르면서 화상을 입은 피부를 뜯어내는 화상환자처럼 나폴리를 떠났다.

내가 마르타와 비앙카를 버려두고 떠나면서 가장 두려웠던 것은 잔니가 아이들이 귀찮거나 나에 대한 복수심 때문에 또는 정말 어쩔 수 없는 상황에 처해서 아이들을 나폴리로 데리고 가 내 어머니와 친척들에게 맡기는 것이었다. 그런 생각이 떠오를 때면 나는 너무 불안해서 숨을 제대로 쉴 수 없었다.

'대체 내가 무슨 짓을 저지른 거지? 나는 힘들게 나폴리에서 도망쳐놓고 정작 내 딸들은 나폴리로 돌아가게 만들다니.'

열여덟 살 때 머나먼 타지인 피렌체에서 학업을 계속하기 위해 나폴리를 떠나면서 나는 행동거지에서부터 언어에 이르기까지 나폴리의 모든 흔적을 지워버렸다. 하지만 정작 비앙카와 마르타는 나폴리의 공기와 함께 내가 애써 지워낸 그 모든 것을 호흡하면서 내 고향인 그 시궁창 속으로 서서히 가라앉고 말 것이다. 집을 떠나면서 나는 잔니에게 신신당부했다.

"다른 건 마음대로 해도 좋으니 제발 아이들을 나폴리 친척들에게는 맡기지 말아줘."

잔니는 내게 자기 딸들이니 자기 마음대로 하겠다고 고함을 쳤다. 아이들 곁을 떠나는 주제에 내겐 참견할 권리가 없다고 했다. 사실 잔니는 최선을 다해 딸들을 돌봐주었다. 하지만 일이 감당할 수 없을 정도로 많아지고 해외 출장까지 가야 할 지경에 이르자 한 치의 망설임도 없이 두 아이를 내 어머니에게 맡겼다. 그는 딸들을 내가 태어난 집에, 내가 벗어나기 위해서 그토록 맹렬히 투쟁했던 그 공간에 수개월 동안 버려두었다.

소식은 돌고 돌아 내 귀에까지 들려왔고 나는 후회했지만 딸들에게 돌아가지는 않았다. 그때 나는 딸들과 너무 멀리 떨어져 있었다. 과거와는 전혀 다른 사람이 된 것 같았다. 드디어 내 본모습을 찾은 듯했다. 결국 나는 딸들이 내 고향의 상처에 노출되도록 내버려두기로 했다. 딸들도 나와 같은 치유 불가능한 상처를 받게 방치해버렸다.

그때 내 어머니는 아이들을 정성껏 돌봐주었다. 녹초가

될 때까지 아이들을 돌보는 데 몸을 아끼지 않았다. 그런데도 나는 어머니에게 고맙다는 말 한마디 하지 않았다. 마음속 깊이 감추어놓은 나 자신에 대한 분노를 어머니에게 쏟아부었다. 나중에 아이들을 다시 피렌체로 데려온 후에도 아이들을 나처럼 망쳐놓았다고 어머니를 비난했다. 부당한 말이었다.

어머니는 변명하려 했다. 내 비난을 거세게 되받아치며 몹시 속상해했다. 그로부터 얼마 지나지 않아 어머니가 돌아가신 것은 어쩌면 상한 마음에서 나온 독기가 온몸에 퍼졌기 때문일지도 모른다.

"레다, 몸에 한기가 드는구나. 옷에 똥을 쌌지 뭐니."

돌아가시기 얼마 전 어머니는 사투리로 내게 힘겹게 말했다. 그 말은 돌아가시기 전에 어머니가 남긴 마지막 말이 되었다.

어머니에게 악을 쓰며 하지 말아야 할 말을 한 적이 얼마나 많았던가. 생각조차 해서는 안 될 말이었다. 아이들 곁으로 돌아온 다음부터는 비앙카와 마르타가 오직 내게만 의지하기를 바랐다. 가끔은 남편 없이 나 혼자 만든 아이들처럼 느껴졌다. 지금도 잔니에 대한 기억은 거의 없다. 그의 다리와 가슴, 성기, 그의 몸에서 느껴지던 맛… 그의 육체에 대한 비밀스러운 기억이 거의 없다. 언제 옷깃이라도 한 번 스친 적이 있었던가 싶었다.

잔니가 캐나다로 떠난 후부터 그런 느낌은 더 확실해졌다. 평생 나 혼자 딸들을 키운 것 같았다. 내 눈에는 좋은 면이든 나쁜 면이든 조상 대대로 모계의 유전적 특성만 보였다. 그러다 보니 불안감이 커졌다. 비앙카와 마르타는 처음에 학교 공부를 잘 따라가지 못했다. 학교생활을 어찌해야 할지 갈피를 잡지 못했던 것 같다. 나는 그런 아이들에게 화를 내고 아이들을 닦달하고 괴롭혔다.

"대체 뭘 하고 살려고 그래? 나중에 커서 뭐가 되려고 그래? 퇴보하고 싶어? 인생을 망치고 싶은 거야? 아빠, 엄마 노력을 물거품으로 만들고 싶어? 초등학교밖에 못 나온 너희 할머니처럼 되고 싶은 거냐고!"

나는 비앙카에게 우울한 말투로 뇌까렸다.

"네 선생님들과 이야기를 했어. 정말이지 창피해서 못 살겠구나."

나는 딸들이 갈수록 비뚤어지고 있다고 생각했다. 무식한 허풍쟁이가 되어가는 것 같았다. 나는 딸들이 공부뿐 아니라 모든 일에 실패할 거라고 확신했다. 언젠가부터 딸들이 정신을 차리고 학교 성적도 좋아지고 내 모계 선조들의 그늘이 사라지고 나서야 나는 마음을 놓을 수 있었다.

불쌍한 어머니. 약간의 사투리 빼고 어머니가 내 딸들에게 좋지 않은 영향을 준 것이 뭐가 있단 말인가. 어머니 덕분에 비앙카와 마르타는 아직도 나폴리 억양과 나폴리식 표현을 제대로 할 줄 안다. 기분이 좋을 때면 아이들은 내 억양을 놀린다. 캐나다에서 전화할 때도 일부러 내 사투리 억양을 과장되게 따라 한다. 둘은 언어에 상관없이 내 억양에서 묻어나오는 사투리나 나폴리 사투리를 표준어화해서 만든 어색한 표현을 적나라하게 비웃는다.

빌어먹을 시간 낭비일 뿐이라니… 나는 로사리아를 향해 미소를 짓는다. 나는 대화거리를 찾으려 한다. 로사리아의 태도가 불손해도 예의를 지키려 애쓴다.

내 딸들은 나를 무시했다. 특히 내가 영어를 할 때 창피해했다. 딸들과 함께 해외여행을 갔을 때 나는 딸들이 나를 부끄럽게 생각한다는 사실을 눈치챘다. 하지만 영어는 내 전공이었다. 나는 내 영어 실력이 완벽하다고 생각했는데 딸들은 내 실력이 형편없다고 우겼다. 사실 그애들 말이 옳다. 일탈을 시도했음에도 나는 그리 멀리 가지 못했다. 자칫하면 나도 순식간에 다시 지금 내 앞에 있는 로사리아처럼 될 수 있다. 물론 그렇게까지 되기가 쉽지는 않겠지만.

내 어머니만 해도 아름다운 중산층 부인 행세를 하다 어느 순간 갑자기 격정적으로 자신의 불행을 드러내곤 했다. 어머니보다는 시간이 더 걸리겠지만 나도 충분히 그런 식으로 행동할 수 있다. 하지만 내 딸들은 다르다. 그 아이들은 아주 멀리 갔다. 비앙카와 마르타는 나와는 다른 세상, 다른 시간대에 속하는 아이들이다. 나는 미래에서 내 아이들을 잃어버리고 말았다.

나는 다시 민망한 미소를 지었지만 로사리아는 내 미소에 답하지 않았고 그 상태에서 대화가 끊겼다. 내 감정은 이미 이 여자에 대한 경계심 섞인 반감과 우울한 호감 사이를 오가고 있었다.

로사리아는 눈 깜짝할 사이에 출산할 것이다. 두 시간 만에 자신과 함께 자신의 분신을 몸에서 밀어낼 것이다. 출산 다음 날부터 바로 돌아다니기 시작할 테고 젖도 많이 나올 것이다. 영양 가득한 젖이 강물처럼 나올 것이다. 그러고는 전처럼 신중하고 맹렬한 전사로서 전장에 복귀할 것이다.

나는 그제야 로사리아가 내가 니나를 만나는 것을 원치 않는다는 사실을 깨달았다. 로사리아는 니나를 허영심 많고 징징거리기나 하는 골칫덩어리라고 생각하고 있었다. 그래서 임신했을 때도 불평이나 해대고 매일 토하기나 하고 다닌 거라고 생각하고 있었다. 로사리아는 니나가 무르고 줏대가 없어서 쉽게 나쁜 영향을 받는다고 생각했고 내 끔찍한 고백을 들은 다음부터는 나를 해변에서 사귄 좋은 친구로 생각하지 않게 되었다. 로사리아는 내게서 니나를 보호하려는 것이다. 내가 니나에게 얼토당토않은 생각을 불어넣을까봐 두려워 배에 칼침 자국이 있는 자기 남동생을 대신해서 니나를 감시하려는 것이다.

지노는 내게 그들이 질 나쁜 사람들이라고 했다. 나는 더 이상 무슨 말을 해야 할지 몰라 잠시 발을 물에 담그고 있다가 내 자리로 돌아왔다. 어제와 오늘 이틀이 내 전 생애를 자석처럼 끌어당기고 있었다.

파라솔 아래서 뭘 해야 할지 잠시 생각하다 마침내 결

단을 내렸다. 나는 가방과 신발을 챙겨 들고 파레오*를 허리춤에 묶은 다음 책은 침상에 펼쳐두고 옷은 파라솔에 걸쳐둔 채 소나무 숲으로 향했다.

지노는 나폴리 사람들이 소나무 숲 근처 모래언덕 위에 있는 별장에서 묵고 있다고 했다. 나는 음지와 양지를 지나 솔잎과 모래 사이의 경계선을 따라 걸었다. 얼마 지나지 않아 갈대와 협죽도와 유칼립투스 사이로 솟아오른 화려한 2층 건물이 눈에 들어왔다. 매미 소리 때문에 귀가 멀 것 같았다.

나는 덤불 사이로 들어가 그 집으로 가는 길을 찾으면서 가방에서 꺼낸 전단지에 적혀 있는 휴대폰 번호로 전화를 걸었다. 나는 니나가 전화를 받기를 바라면서 기다렸다. 아무런 응답 없이 신호음이 울리는 동안 내 오른쪽에 있는 무성한 수풀 속에서 요란한 진동음이 들리더니 뒤이어 니나의 목소리가 들려왔다.

"이제 그만해. 그만하라니까. 전화 좀 받자."

니나가 웃으면서 말했다.

* 수영복 위에 둘러서 입는 스커트.

나는 전화를 서둘러 끊고 목소리가 들리는 쪽을 바라보았다. 밝은 색상의 가벼운 원피스 차림의 니나가 나무 기둥에 기대어 서 있고 지노는 그런 니나에게 키스하고 있었다. 니나는 지노의 키스를 거부하지는 않았지만 장난기가 서린 긴장한 두 눈을 똑바로 뜨고 자신의 가슴을 찾는 지노의 손을 부드럽게 밀어냈다.

19

나는 수영을 한 뒤 엎드려서 팔에 얼굴을 파묻었다. 누운 자리에서 지노가 고개를 푹 숙이고 성큼성큼 모래언덕을 내려오는 모습이 보였다. 지노는 자기 자리로 돌아와 책을 읽으려 했지만 집중을 못 하고 오랫동안 바다만 바라보았다.

전날 저녁 느꼈던 가벼운 불쾌감이 그에 대한 적대감으로 변하는 것이 느껴졌다. 정말 예의 바른 청년처럼 보였는데. 전날 그는 섬세하고 사려 깊은 태도로 몇 시간 동안 내 말동무가 되어주었다. 니나의 사나운 친척들과 남편을 조심하라며 나를 긴장하게 해놓고서 정작 자기는 참지 못하고 예측할 수 없는 위험에 스스로 자신을 노출한 것이다.

지노는 니나를 유혹했다. 딸에 대한 부담감에 억눌려 니나가 가장 나약해진 순간을 틈타 제 곁으로 끌어들인 것이다. 내가 그 장면을 목격한 것처럼 누구라도 알아차릴 수 있는 상황이었다. 나는 지노와 니나 둘 다 못마땅했다.

뭐랄까, 나는 두 사람이 함께 있는 의외의 광경에 혼란스러웠다. 그것은 눈에 보이는 것과 보이지 않는 것의 총합에서 비롯되는 종잡을 수 없는 감정이었다. 몸에 열이 나고 식은땀이 흘렀다. 그들의 키스를 생각하니 아직도 내 입술이 타는 듯했다. 뱃속이 뜨거워지면서 입 안에 미지근한 침이 고였다. 그것은 성인의 감정이 아니었다. 어린아이의 감정에 가까웠다. 나는 불안에 떠는 어린아이가 된 것 같았다.

먼 과거의 환상이 다시 떠올랐다. 내가 만들어낸 거짓된 상상들이 떠올랐다. 예컨대 어린 시절 나는 어머니가 밤낮을 가리지 않고 애인을 만나기 위해 몰래 집을 빠져나가는 상상을 하면서 어머니가 느꼈을 쾌락을 내 몸으로 느끼곤 했다. 지난 수십 년간 뱃속에 잠들어 있던 딱지 앉은 침전물이 이제서야 다시 깨어나는 것 같았다.

나는 신경이 곤두선 상태로 선배드에서 일어나 급히 소지품을 챙기기 시작했다. 내가 잘못 생각했다. 비앙카와 마르타의 출국은 내게 좋은 영향을 미치지 않았다. 좋을 줄 알았는데 아니었다. 딸들과 마지막으로 통화한 것이 언제였던가. 딸들 목소리를 들어야 했다. 관계에서 자유스러워진다는 것은, 홀가분해진다는 것은 좋은 일이 아니다. 자기 자신뿐 아니라 다른 이들에게도 못 할 짓이다. 어떻게든 니나에게 이 말을 꼭 전해야 한다. 열여섯 소녀도 아닌데 한여름의 불장난이 대체 무슨 의미란 말인가. 딸까지 아픈 이 마당에 말이다.

엘레나와 함께 파라솔 아래서나 햇볕을 쬐면서나 바닷가에서 인형을 가지고 놀 때 니나는 너무나 특별해보였다. 모녀는 돌아가면서 젖은 모래를 아이스크림 스푼으로 떠서 나니에게 먹여주는 시늉을 했다. 둘은 너무나 잘 어울렸다. 엘레나는 몇 시간이고 혼자서도 잘 놀고 제 엄마랑도 잘 놀았다. 그때 엘레나는 행복해보였다. 지금 니나 옆에서 인형과의 관계에서 엘레나가 경험하고 있는 성적

에너지가 나중에 아이가 성장하고 나이가 들어가면서 느낄 모든 성애보다 더 강할 것 같다고 나는 생각했다. 나는 지노와 로사리아에게 눈길 한 번 주지 않고 자리에서 일어났다.

나는 텅 빈 국도를 따라 숙소를 향해 차를 몰았다. 머릿속에 온갖 장면과 소리가 스쳐 지나갔다. 벌써 오래전에 비앙카와 마르타 곁으로 돌아온 다음부터 내 삶은 다시 무거워졌다. 섹스는 간헐적인 행사가 됐고 별 기대감 없이 조용히 치러졌다. 남자들은 키스하기도 전에 지성미가 묻어나는 확고한 어조로 자기들은 아내와 헤어질 생각이 없다거나 싱글남의 삶에 익숙해져서 그런 삶을 포기하고 싶지 않다고 했다. 나와 내 딸들의 삶을 책임질 생각이 없다고 했다. 나는 한 번도 불평한 적이 없다. 예상했던 바이기에 지극히 합리적인 선언이라고 생각했다. 나는 질풍노도의 시기는 끝났다고 생각했다. 3년이면 충분했다.

브랜다와 그녀의 연인이 묵었던 침대를 정리하던 그날 아침은 달랐다. 두 연인의 체취를 지우기 위해 창문을 여는 순간 나는 쾌락의 욕구를 느꼈다. 그것은 열여섯 소녀 시절 내 초기 성 파트너들과의 관계에서 느꼈던 욕구와는 전혀 달랐다. 결혼 전 내 미래 남편이 될 잔니와의 불편하고 불만족스러웠던 섹스와도 달랐다. 아이들을 낳기 전 부부관계를 가질 때의 느낌과도 달랐다. 아이를 낳은 다음 섹스할 때의 느낌과는 더더욱 달랐다.

브랜다와 그녀의 연인을 만난 다음부터는 새로운 기대감이 생겼다. 가슴을 주먹으로 한 대 얻어맞은 것처럼 난 생처음 뭔가 다른 것을 원했다. 하지만 그것은 나 스스로조차 인정하기 불편한 사실이었다. 나 같은 상황에 처한 사람에게 부적합한 생각 같았다. 나처럼 이성적이고 사려 깊은 여자에게는 부적합한 야망인 것 같았다.

하루가 가고 한 주가 흐르는 동안 두 연인의 흔적도 완전히 사라졌다. 하지만 나는 안정을 되찾지 못했다. 혼란스러운 상상만 늘었다. 남편에게는 아무 말도 하지 않았다. 섹스할 때 우리들만의 규칙에서 벗어나려 한 적도 없고 수년 동안 우리끼리 만든 은밀한 은어도 계속 썼다. 하지만 공부하고 장을 보고 고지서를 납부하기 위해 줄을 서 있다가도 갑자기 수치스럽지만 짜릿한 욕구 때문에 정신을 못 차리곤 했다. 나는 부끄러웠다. 특히 딸들을 돌보면서 그런 욕구를 느낄 때 그랬다. 딸들과 노래를 부르고 딸들이 잠들 때까지 동화책을 읽어주고 마르타에게 밥을 먹이고 딸들을 씻기고 옷을 입히면서도 내가 그럴 자격이 없는 사람처럼 느껴졌다. 그러면서도 내 마음을 가라앉힐 방법을 몰랐다.

어느 날 아침 내 지도교수가 포스터와 관련된 국제 학회에 초대받았다며 내게 전화를 걸어왔다. 내 전공분야이니 나도 함께 가자고 했다. 내 연구에 큰 도움이 될 거라고 했다. 연구라니. 사실 나는 연구에 손을 놓은 지 오래였고 교수 역시 내 앞길을 위해 별다른 도움을 준 적이 없었다. 나는 교수에게 고맙다고 했다. 돈도 없고 입고 갈 옷도 마땅치 않은 데다 남편은 일이 너무 많아서 힘들 때였다. 며칠 동안 신경이 곤두서서 우울해하다가 결국 학회에 가지 않기로 마음먹었다. 하지만 지도교수는 매우 불쾌해하는 것 같았다. 그는 내가 인생을 허비하고 있다고 했고 나는 그런 교수에게 화가 났다. 한동안 연락이 없다 다시 내게 연락했을 때 그는 내게 여행비와 체류비를 지원받을 수 있는 방법을 찾았다고 했다.

일이 그렇게까지 진행되자 나도 더는 거절할 수 없었다. 나는 집을 비우게 될 나흘 동안 아무런 부족함이 없도록 철저히 계획을 세웠다. 꺼내 먹기만 하면 되는 상태로 음식을 준비해서 냉장고에 넣어놓고 약간 맛이 간 과학자를 위해 기꺼이 봉사해줄 친구들에게 집안일을 도와달라고 했다. 잔니가 갑자기 회의에 참석해야 될 상황에 대비해 다소 우울해보이는 여학생도 한 명 섭외했다. 나는 모든 것을 완벽하게 준비해놓은 뒤 출발했다. 마르타가 약간 감기 기운이 있는 것이 조금 마음에 걸렸다.

런던행 비행기는 저명한 학자들과 그보다 젊은 내 경쟁자들로 가득했다. 그들은 대부분 나보다 훨씬 활발하게 활동하고 있었고 안정된 자리를 차지하기 위한 경쟁에도 나보다 열심이었다. 나를 초대해준 교수는 자신만의 생각에 잠겨 있었다. 그는 무뚝뚝한 사람이었다. 그에게는 다 큰 자식 둘과 섬세하고 상냥한 아내가 있었다. 강의 경력이 풍부했고 박학다식한데도 청중 앞에서 강의할 때마다 공황상태에 빠지는 사람이었다. 비행기 안에서 그는 자기 논문 수정에 몰두했고 호텔에 도착해서도 자기 글이 설득력이 있는지 읽어봐 달라고 했다.

나는 교수의 글을 읽고 그를 안심시켰다. 훌륭한 글이라고 했다. 그것이야말로 내가 할 일이었으니까. 그길로 교수는 자취를 감췄고 학회가 진행되는 오전 내내 나타나지 않았다. 그는 오후 늦게 자기가 강연할 차례가 되어서야 모습을 드러냈다. 그는 영어로 자기 글을 침착하게 읽었다. 하지만 몇몇 사람들이 비판적으로 평가하자 기분이 상해서 쌀쌀맞게 대답한 후 자기 방에 틀어박혀 저녁식사 시간에도 나오지 않았다. 나는 나와 같은 초짜들만 모여 있는 식탁에 앉아 저녁 내내 거의 입을 다물고 있었다.

지도교수는 다음 날이 되어서야 나타났다. 모두가 고대하던 저명한 대학의 존경받는 학자 하디 교수가 강연하는 날이기 때문이다. 지도교수는 내게 인사도 하지 않았다. 그는 다른 학자들과 함께 앉았고 나는 강연장 맨 뒤에 자리를 잡고 성실하게 필기할 공책을 펼쳤다. 그때 하디 교수가 나타났다. 50세 정도 된 키가 작고 깡마른 남자였다. 호감형 얼굴에 눈동자가 신기할 정도로 새파랬다. 그는 강연 내내 호소력 있는 저음으로 말을 이었다. 얼마 되지 않아 나는 놀랍게도 그가 내 몸을 만지면 어떨까 하는 상상에 빠졌다. 그가 내 몸을 쓰다듬고 내게 입 맞추는 상상을 했다. 강연이 시작된 지 10분쯤 지난 후에 갑자기 그가 내 이름을 부르는 소리가 들렸다. 처음에는 내 이름이 교수가 들고 있는 마이크가 아니라 내 성적 환상에서 바로 튀어나온 줄 알았다.

나는 믿기지 않았다. 얼굴이 빨개지면서 화끈거렸다. 하디 교수는 강연을 이어나갔다. 그는 달변가였다. 준비해온 글은 참고만 하고 즉흥적으로 강연을 이어나갔다. 그는 내 성을 한 번, 두 번, 세 번 반복해서 불렀다. 대학 동료들이 나를 찾으려고 두리번거리는 모습이 보였다. 몸이 바들바들 떨리고 손에 땀이 났다. 내 지도교수도 얼빠진 표정으로 내 쪽으로 고개를 돌렸고 나는 그런 그와 눈길을 주고받았다. 하디 교수는 내 글 중 한 문단을 있는 그대로 인용했다. 내 유일한 출간물이자 예전에 브랜다에게 건네줬던 바로 그 글이었다. 하디 교수는 감탄하며 내 글을 언급했다. 내 글 중 한 부분을 상세히 언급하면서 자기 강의 내용을 더 확실히 하는 데 활용했다. 강연이 끝나고 박수가 쏟아지는 순간 나는 강연장을 빠져나왔다.

나는 내 방으로 뛰어 들어갔다. 온몸의 피가 피부 밑에서 끓어오르는 것 같았다. 자만심이 머리끝까지 차올랐다. 나는 피렌체에 있는 남편에게 전화를 걸었다. 나는 전화에 대고 고함을 지르다시피 내게 일어난 놀라운 일을 들려주었다. 남편은 잘했다고, 자기도 기쁘다고 한 뒤 내게 마르타가 수두에 걸렸다고 했다. 의사가 확진을 했으니 수두에 걸린 것이 틀림없다고 했다. 나는 전화를 끊었다. 마르타의 수두는 언제나처럼 파도와 같이 밀려오는 불안감에 실려 내 안에 자리 잡았다. 하지만 그 순간만큼은 지난 몇 년 동안 그랬던 것과는 달리 내면의 공허함과 마주하는 대신 격렬한 환희와 함께 힘이 솟아났다. 지적 승리와 육체적인 쾌락이 뒤섞인 기분 좋은 혼돈을 느꼈다.

수두쯤이야 뭐 그리 대수란 말인가. 과거에 비앙카도 수두를 앓지 않았던가. 마르타는 괜찮아질 것이다. 나는 나 자신에 대한 생각에 압도당했다. 그 순간 중요한 것은 오직 나, 나뿐이었다. 나는 이런 사람이고 내게는 이런 능력이 있고 나는 이 일을 해야만 한다는 생각뿐이었다.

지도교수가 내 방으로 전화를 걸어왔다. 우리는 전혀 친하지 않았다. 그는 가까워지기 힘든 사람이었다. 언제나 약간 화난 듯 쉰 목소리로 말했고 나를 항상 하찮게 생각했다. 의욕이 충만한 대학원생의 고집에 못 이겨 어쩔 수 없이 나를 맡기는 했지만 내게 아무것도 보장해주지 않았다. 지루하고 귀찮은 일만 내게 떠넘겼다. 그랬던 사람이 갑자기 한없이 상냥해졌다. 그는 잠시 혼란스러워하다 내 실력에 대해 횡설수설 칭찬을 했다.

"지금부터는 더 열심히 노력하게나. 최대한 빨리 짧더라도 새로 논문을 쓰고 말이야. 다음 출간물이 정말 중요하다네. 내가 하디 교수에게 우리가 어떤 식으로 일하는지 다 말해놓겠네. 분명 자네를 만나고 싶어 할 거야."

나는 그럴 리 없다고 생각했다. 내가 뭐라고 나를 만나고 싶어 하겠는가. 하지만 내 지도교수는 끝까지 우겼다.

"분명히 자네를 만나고 싶어 할 걸세."

점심시간에 지도교수는 나를 자기 옆에 앉혔다. 나는 곧바로 모든 것이 변했다는 것을 깨달았다. 기쁨이 파도처럼 밀려들었다. 강연 끝 무렵에 짧은 연구 결과조차 발표할 권한이 없는 무명 조교가 불과 한 시간 만에 어느 정도 국제적인 명성을 누리는 젊은 학자가 된 것이다. 먼저 이탈리아 학자들이 연령에 상관없이 한 명씩 내게 다가와 칭찬해주더니 나중에는 외국 학자들도 내 곁으로 다가오기 시작했다. 마지막으로 하디 교수가 등장했다. 어떤 사람이 그의 귀에 대고 뭔가를 속삭이면서 내가 앉아 있는 식탁을 손으로 가리켰다. 그는 잠시 나를 바라보다가 자기 자리로 향했다. 그러다 멈춰서더니 다시 뒤로 돌아 내게 와서 인사를 했다. 하디 교수가 내게, 그것도 아주 정중하게 인사를 한 것이다.

나중에 지도교수가 내 귀에 대고 속삭였다.

"하디 교수는 진지한 학자야. 하지만 일을 지나치게 많이 하는 데다 요즘 들어 늙었는지 매사에 지루함을 느끼고 있어."

그가 덧붙였다.

"만약 자네가 남자였거나 못생겼거나 나이가 너무 많았다면 그는 자네가 직접 그에게 가서 경의를 표하기를 기다렸을 거네. 그러고는 예의바르지만 쌀쌀맞게 작별인사를 했겠지."

나는 지도교수의 말이 악의적으로 느껴졌다. 하디 교수가 저녁에 다시 나를 찾을지도 모른다는 그의 악의 섞인 가정에 나는 작은 소리로 반박했다.

"아마 하디 교수는 제가 학문적으로 중요한 공헌을 했다는 사실에 가장 관심이 있을 거예요."

지도교수는 그럴지도 모른다고 중얼거릴 뿐 특별히 내

말에 대답하지 않았다. 내가 기뻐서 어쩔 줄 몰라 하며 하디 교수가 그날 밤 저녁식사에 나를 자기 테이블로 초대했다고 말했을 때도 그는 침묵을 지켰다.

그렇게 나는 하디 교수와 함께 저녁식사를 했다. 저녁식사 내내 나는 자연스럽고 재치 있게 행동했다. 술도 꽤 마셨다. 저녁식사 후에 우리는 함께 오랫동안 산책했다. 돌아오는 길에 그는 내게 자기 방에 같이 가지 않겠느냐고 물었다. 새벽 두 시였다. 그는 낮은 목소리로 정중하면서도 장난스럽게 물었고 나는 그의 제안을 받아들였다. 나는 항상 섹스란 끈적끈적한 현실의 최종 단계이며 타인의 육체와 가장 직접적으로 접촉하는 행위라고 생각했다.

하지만 그날 경험을 계기로 나는 섹스가 가장 극단적인 상상의 산물이라고 믿게 되었다. 쾌락이 클수록 상대방은 그 순간의 요구에 의해서만 규정할 수 있는 꿈같은 존재가 된다. 그런 상대와 사랑을 나눌 때는 오로지 깊은 밤 타인의 육체에 부딪히고 애무를 받는 순간 배와 가슴과 성기와 온몸의 피부가 보이는 반응만 존재할 뿐이다.

내가 그 만남에 어떤 의미를 부여했는지 모르지만 그 순간만큼은 한평생 오직 그만을 사랑해온 것 같았다. 이제 막 알게 되었을 뿐인데 오직 그만을 원하게 된 것이었다.

집으로 돌아가자 남편은 마르타가 아픈데도 나흘 동안 두 번밖에 전화를 하지 않았다고 투덜댔다.

"할 일이 너무 많았어."

내가 말했다. 덧붙여 나는 학회에서 그런 일이 있었으니 그에 합당한 사람이 되기 위해서 이제부터는 열심히 공부해야 한다는 말도 했다. 나는 보란 듯이 하루에 열 시간을 대학교에서 보냈다. 피렌체로 돌아온 후 지도교수는 갑자기 나를 위해 시간을 내주었다. 최대한 빠른 시일 내에 새 출간물을 내도록 도와주면서 하디 교수와 적극적으로 협조해 내가 얼마 동안 하디 교수의 대학에 가서 연구할 수 있도록 해주었다. 그렇게 괴로움과 과다 흥분이 혼재된 상태에서 내 연구의 전성기가 시작되었다.

나는 악착같이 일하면서도 하디 없이는 살 수 없을 것 같아 몹시 괴로웠다. 나는 그에게 긴 편지를 쓰고 전화를 했다. 주말에 잔니가 집에 있을 때면 의심을 받지 않기 위해 비앙카와 마르타를 끌고 공중전화로 달려갔다. 비앙카는 전화 내용을 다 알아 들었다. 영어도 모르는 아이가 말은 못 알아들어도 어떤 상황인지 다 이해했다. 나는 그 사실을 알고 있었지만 어쩔 수 없었다. 아이들은 내 곁에서 벙어리처럼 입을 다물고 의아해했다. 아직도 그 장면을 잊지 못한다. 앞으로도 절대 잊지 못할 것이다. 그럼에도 내 의지와는 상관없이 나는 기쁨으로 충만했다. 하디에게 다정한 말을 속삭이고 그의 음탕한 말을 받아주고 나도 그에게 음탕한 말을 했다.

딸들이 내 치맛자락을 잡아당기면서 배고프다고 하거나 아이스크림을 사달라고 하거나 근처에 있는 풍선장수에게 풍선을 사달라고 칭얼거리면, 자꾸 그러면 엄마를 다시는 못 볼 테니 가만히 있으라고 악을 쓰고 싶은 마음을 겨우 참았다. 어린 시절 절망한 나머지 소리를 높였던 어머니처럼 말이다. 차이가 있다면 어머니는 소리만 쳤지 결코 우리를 떠나지 않았지만 나는 작별인사도 제대로 하지 않고 내 딸들을 버려두고 떠났다는 것이다.

나는 운전대를 잡고 있다는 사실조차 인식하지 못하고 차를 몰았다. 도로가 눈에 들어오지 않았다. 차창에서 무더운 바람이 불어왔다. 집 아래 주차를 하는데 비앙카와 마르타의 모습이 눈앞에 보이는 듯했다. 18년 전처럼 작고 겁에 질린 모습이었다. 얼굴이 화끈 달아올랐다. 집에 들어가자마자 샤워기로 달려갔다. 나는 차가운 물이 다리와 발에 묻은 모래를 씻어 내면서 까만 흙탕물이 되어 하얀 에나멜 욕실 바닥으로 흘러내리는 모습을 지켜보았다.

'더위가 가시고 부러진 날개의 냉기가 온몸을 감쌌노라. 이제 몸을 닦고 옷을 걸쳐라.'

나는 오든의 시에 나오는 표현을 딸들에게 가르쳐주었다. 장소가 마음에 들지 않거나 기분이 좋지 않거나 아니면 그저 춥고 날씨가 좋지 않다는 말을 하고 싶을 때마다 우리들만의 은어로 사용하는 표현이었다. 불쌍한 내 딸들. 어렸을 때부터 가족들끼리 쓰는 언어에서조차 교양을 강요당하다니.

나는 가방을 들고 햇볕이 내리쬐는 테라스로 가 내용물을 탁자 위에 쏟았다. 인형이 탁자 한쪽에 떨어졌다. 나는 개나 고양이에게 하듯 인형에게 말을 걸다가 불현듯 내 목소리를 듣고 입을 다물었다.

나는 나니를 벗 삼아 마음을 가라앉히기로 했다. 나니의 얼굴과 몸에 난 사인펜 자국을 지우기 위해 알코올을 찾았다. 알코올로 세심하게 인형을 닦았지만 결과가 신통치 않았다.

"우리 예쁜 나니, 이리 오렴. 팬티를 입고 양말이랑 신발을 신자꾸나. 이제 원피스도 입어보자. 정말 예쁘구나."

어느새 내가 인형을 자연스럽게 나니라고 부르고 있다는 사실을 깨닫고 놀랐다. 엘레나와 니나가 인형을 부르던 그 수많은 이름 가운데 나는 왜 하필 나니라는 이름을 고른 것일까. 나는 모녀가 인형을 부르는 이름을 하나도 빠짐없이 받아 적어 놓은 노트를 훑어보았다.

네니, 닐레, 닐로타, 나니키아, 나누차, 넨넬라 그리고 나니. 내 아기, 배에 물이 들어갔구나. 물 같은 너의 어둠을 뱃속에 간직하고 있었구나. 나는 탁자 옆 양지바른 곳에 앉아 머리를 말리면서 이따금 손가락으로 머리를 빗었다. 초록빛 바닷물이 눈에 들어왔다.

나도 침묵 속에 수많은 어둠을 숨기곤 했다. 예컨대 내 배은망덕한 행동에 대한 후회가 그렇다. 브랜다 말이다. 하디 교수에게 내 글을 전해준 사람은 브랜다였다. 하디 교수가 직접 내게 그렇게 말했다. 그가 브랜다와 어떤 관계인지는 잘 모른다. 나는 그들이 서로에게 무엇을 빚졌는지 알고 싶지 않았다. 확실한 것은 브랜다가 아니었다면 내 글이 결코 주목받지 못했을 거라는 사실이다. 하지만 그때 나는 아무에게도 그 이야기를 하지 않았다. 잔니에게도 내 지도교수에게도 말하지 않았고 브랜다를 찾으려 하지도 않았다. 2년 전 비앙카와 마르타에게 보낸 편지에만 그 이야기를 썼다. 딸들이 읽지 않은 그 편지에 나는 이렇게 썼다.

"나는 내가 모든 것을 혼자 힘으로 이루었다고 믿고 싶었단다. 시간이 갈수록 나 자신에 대한 존재감을 강하게 느끼고 싶었어. 내 공을 인정받고 싶었고 내 자질이 오롯이 나의 것임을 확신하고 싶었단다."

그 사이 내가 원했던 바를 증명하는 일련의 사건들이 연달아 일어났다. 나는 우수한 사람이었다. 어머니처럼 남보다 뛰어난 척할 필요가 없었다. 나는 정말로 비범한 존재였다. 드디어 피렌체의 내 지도교수가 그런 사실을 인정했고 그 누구보다 세련되고 명망 높은 하디 교수에게도 인정받았다. 나는 영국과 피렌체를 오가게 되었다. 남편은 내게 무슨 일이 일어나는지 살피며 나를 경계하기 시작했다. 자기 혼자 일하면서 아이들까지 돌볼 수는 없다고 항의했다.

나는 남편에게 그를 떠나겠다고 했다. 그는 나를 이해하지 못했다. 내가 우울증에 걸렸다고 생각하고 해결 방법을 찾으려 했다. 남편은 내 어머니에게 연락을 했고 내게는 딸들 생각을 하라고 소리 질렀다.

나는 더는 그와 살 수 없다고 했다. 나 자신을 이해하고 싶다고, 내게 실질적으로 어떤 가능성이 있는지 알아야겠다고 했다. 나는 계속 그런 말을 했다. 남편에게 차마 나는 이미 내가 어떤 사람인지 알고 있다고 말할 수는 없었다. 새로운 아이디어가 너무나 많고 공부를 계속하고 싶고 다른 남자들을 사랑한다는 말을 할 수 없었다. 내가 뛰어나고 똑똑하다고 말해주는 사람이라면, 내가 더 뛰어난 사람임을 증명하기 위해 도전하게 만들어주는 사람이라면 그 사람이 누구든 상관없이 사랑하게 된다는 말은 할 수 없었다.

잔니는 흥분을 가라앉혔다. 얼마간 나를 이해하기 위해 노력했지만 내가 자기를 속이고 있다는 것을 깨닫고 화가 나서 내게 욕설을 퍼붓기 시작했다. 결국 그는 내게 원하는 대로 하라고, 집에서 떠나라고 소리 질렀다.

그는 내가 정말 딸들을 놔두고 떠날 수 있을 거라고 생각하지 않았다. 하지만 나는 그렇게 했다. 나는 집을 떠난 후 두 달 동안 한 번도 전화하지 않았다. 끈질긴 추적 끝에 먼저 나를 찾아내서 괴롭히기 시작한 쪽은 잔니였다. 나는 두 달 만에 집으로 돌아갔지만 그나마도 내 책과 필기 노트를 챙겨 완전히 떠나기 위해서였다.

그때 나는 비앙카와 마르타 선물로 옷을 사가지고 갔다. 작고 연약한 내 딸들은 내가 옷을 입혀주기를 바랐다. 잔니는 나를 한쪽에 앉혀놓고 상냥한 목소리로 다시 시작하자고 했다. 그는 울면서 나를 사랑한다고 했지만 나는 싫다고 했다. 우리는 크게 다투었고 나는 부엌에 들어가 문을 닫아버렸다.

얼마 지나지 않아 조그맣게 문 두드리는 소리가 들렸다. 비앙카가 진지한 표정으로 머뭇거리는 마르타를 뒤에 달고 들어왔다. 비앙카는 과일을 담아놓은 쟁반에서 오렌지를 집어 들고 서랍에서 칼을 꺼내더니 내게 내밀었다. 나는 비앙카의 행동을 이해할 수 없었다. 그때 나는 내 욕망을 좇느라 바빴다. 한시라도 빨리 그 집에서 뛰쳐나가고 싶었다. 그 집을 잊고 싶었다. 모든 것을 잊고 싶었다.

"뱀 만들어주세요."

비앙카가 동생의 의견까지 대변해서 내게 부탁했다. 그러자 마르타는 격려하듯 내게 미소를 지었다. 딸들은 새 옷을 차려입고 단정하고 어여쁜 어린 숙녀들처럼 내 앞에 자리를 잡고 앉아 기다렸다.

"그래."

나는 오렌지를 집어 들고 껍질을 벗기기 시작했다. 비앙카와 마르타는 그런 나를 물끄러미 바라봤다. 나를 길들이려는 딸들의 시선이 느껴졌다. 하지만 그때 내게는 딸들의 염원보다 딸들이 없는 바깥세상에서 비춰드는 삶의 광채가 더 밝게 느껴졌다. 새로운 색상, 새로운 육체, 새로운 지식, 드디어 나만의 진정한 언어로 정복할 수 있을 것 같은 언어의 광채가 더 눈부시게 느껴졌다. 그중에서 딸들이 과일 껍질로 뱀을 만들어주기를 기다리면서 나를 쳐다보고 있는 이 공간과 어울리는 것은 아무것도 없었다.

딸들을 보아서는 안 된다. 내 육체의 욕구보다 더 강렬하고 부담스럽게 느껴지는 딸들의 육체에서 분출되는 요구에 귀를 닫아야 한다. 오렌지 껍질을 다 벗긴 후 나는 집을 떠났다. 그 후 3년 동안 한 번도 딸들을 만나지 않았고 연락도 하지 않았다.

20

그 순간 인터폰이 울렸다. 거친 전자음이 테라스까지 들려왔다.

나는 기계적으로 시계를 봤다. 오후 두 시였다. 동네에 그 시간에 집에 찾아올 정도로 친한 사람은 아무도 없었다. 문득 지노가 떠올랐다. 내가 어디에서 묵는지 알고 있으니 내게 조언을 구하러 왔는지도 모른다. 인터폰이 다시 울렸다. 이번에는 그전보다 짧게 울렸다. 나는 인터폰을 받으러 테라스에서 나왔다.

"누구세요?"

"조반니요."

나는 한숨을 내쉬었다. 생각을 표현하지 못하고 머릿속에 담아두는 것보다는 이야기할 상대가 있는 편이 낫겠다 싶어 나는 현관문 여는 버튼을 눌렀다. 맨발이어서 우선 샌들을 찾아 신고 셔츠 단추를 잠갔다. 치마를 정돈하고 아직 젖은 머리를 매만졌다. 초인종 소리에 문을 열어보니 햇볕에 새까맣게 그을린 조반니가 내 앞에 서 있었다. 그는 백발을 말끔하게 뒤로 빗어넘기고 약간 지나치다 싶을 정도로 화려해 보이는 셔츠와 완벽하게 주름 잡은 감색 바지 차림에 반짝반짝 광을 낸 신발을 신고 있었다. 그의 손에는 종이봉투가 들려 있었다.

"시간을 많이 빼앗지는 않겠습니다."

"들어오세요."

"밑에 주차된 차를 보고 부인이 돌아오셨을 거라고 생각했습니다."

"들어와서 앉으세요."

"방해하고 싶지는 않습니다. 혹시 생선을 좋아하나 해서 방금 잡은 생선을 가지고 왔습니다."

그는 집 안에 들어와 내게 종이봉투를 내밀었다. 나는 문을 닫고 그의 선물을 받아들고는 억지 미소를 지어 보였다.

"정말 친절하시군요."

"점심은 드셨습니까?"

"아니요."

"이 생선은 날로도 먹을 수 있답니다."

"끔찍하네요."

"그러면 튀겨 드세요. 따뜻할 때 바로 먹어야 합니다."

"손질할 줄 몰라서요."

조반니는 내 말에 수줍어하던 태도는 온데간데없이 사라지고 갑자기 뻔뻔해졌다. 집 구조를 잘 알고 있는 그는 곧장 부엌으로 들어가서 생선 내장을 손질하기 시작했다.

"잠깐이면 됩니다."

그가 말했다.

"2분이면 끝나요."

나는 조반니가 능숙한 손놀림으로 죽은 생명체에서 내장을 꺼내고 생선의 색깔과 광채까지 뜯어낼 기세로 비늘을 벗겨내는 모습을 짓궂게 바라보았다. 나는 아마도 조반니의 친구들이 그가 임무를 완수했는지 여부를 알기 위해 바에서 기다리고 있을 거라고 생각했다. 이미 그를 집 안에 들이는 실수를 범했으니 내 가정이 맞는다면 조반니는 자기 친구들에게 이야기할 때 신빙성 있게 들리도록 최대한 오랜 시간 동안 집 안에 머무르려 할 것이었다. 사내들은 나이에 상관없이 한심한 구석이 있다. 연약한 거만함과 소심한 대담성을 동시에 가지고 있다.

이제는 내 평생 단 한 번이라도 그런 그들을 사랑한 적이 있었는지 아니면 그저 그들의 연약함에 애정 어린 연민만을 느꼈던 것인지 알 수 없었다. 지금 이곳에서 무슨 일이 일어나든 조반니는 친구들에게 자기 나이에 약도 안 먹고 타지에서 온 여인 앞에서 발기했다는 경이로운 사실을 자랑할 것이다.

"기름은 어디 있죠?"

조반니는 머릿속으로 문장을 구성하기도 전에 생각이 앞서 가는 듯 신경질적으로 말을 쏟아내면서도 능숙하게 생선을 튀겼다. 그는 바다에서 고기가 훨씬 잘 잡히고 생선이 정말 맛있었던 과거를 예찬했다. 3년 전에 세상을 떠난 아내와 자식 이야기도 했다. 그가 말했다.

"내 장남이 부인보다 나이가 훨씬 많아요."

"아닐걸요? 저도 나이가 많아요."

"나이가 많다니요. 기껏해야 마흔도 안 됐을 것 같은데요."

"아니에요."

"마흔둘? 아니면 마흔셋입니까?"

"마흔여덟이에요, 조반니. 다 큰 딸이 둘이나 있어요. 첫째는 스물넷이고 둘째는 스물둘이에요."

"우리 집 장남은 올해 쉰입니다. 내 나이 열아홉, 아내 나이 열일곱 때 아이를 낳았지요."

"그럼 올해 예순아홉이세요?"

"그렇습니다. 손주가 셋이에요."

"젊어 보이시네요."

"보기에만 그렇죠."

나는 집에 있던 유일한 와인을 땄다. 슈퍼마켓에서 산 레드 와인이었다. 우리는 소파에 나란히 앉아 거실 탁자에서 튀김을 먹었다. 생선 맛은 황홀했다. 내 목소리를 들으니 왠지 모르게 나도 마음이 평온해져서 말을 많이 했다. 직장 이야기도 하고 딸들에 대한 이야기도 했는데 주로 딸들 이야기를 많이 했다.

"아이들 때문에 속 썩은 적이 한 번도 없어요."

내가 말했다.

"공부도 잘하고 낙제도 안 했어요. 최고 성적으로 대학을 졸업했고요. 둘 다 훌륭한 과학자가 될 거예요. 애들 아빠처럼 말이에요. 지금은 둘 다 캐나다에 있어요. 둘째는 쉽게 말하자면 공부를 마무리하고 있고 첫째는 그곳에서 직장을 다니고 있죠. 저는 만족해요. 엄마로서의 의무를 다했으니까요. 요즘같이 험한 세상에서 딸들을 지켜주었으니까요."

내가 이야기를 이어나가는 동안 조반니는 내 말에 귀를 기울이다 가끔 자기 이야기도 했다. 큰아들은 토지측량사고 며느리는 우체국에서 일한다고 했다. 딸은 시집을 잘 갔다고 했다. 광장에 있는 가판대가 사위 가게라고 했다. 자기 십자가는 셋째 아들이라고 했다. 공부가 싫다면서 관광객들을 대상으로 뱃사공 노릇을 하며 일 년 중 여름 한 철에만 돈벌이를 한다는 것이다. 막내딸은 중한 병에 걸려 학업이 늦어졌지만 이제 대학 졸업을 앞두고 있다고 했다. 사남매 중에서 첫 대학 졸업생이 될 거라고 했다.

손주들 이야기를 할 때는 애틋하기 그지없었다. 모두 장남 내외의 아이들로 다른 자식들은 아직 아이가 없다고 했다. 분위기가 좋아졌고 나도 점점 편해졌다. 모든 것이 좋게 느껴졌다. 맛있는 생선—알고 보니 숭어였다—과 와인, 바닷물에 반사되어 창문 유리창에 부서져 내리는 햇살까지. 조반니는 손자들 이야기를 했고 나는 딸들의 어린 시절을 이야기했다.

나는 조반니에게 20년 전 눈이 왔을 때 비앙카와 너무나 즐겁게 놀았던 이야기를 들려주었다. 그때 비앙카는 세 살이었다. 아이는 뺨이 새빨개진 채 앙증맞은 핑크색 방한복을 입고 가장자리에 하얀 털이 달린 모자를 쓰고 있었다. 우리는 썰매를 끌고 언덕 꼭대기에 올라갔다. 나는 비앙카를 앞에 태우고 품 안에 꼭 껴안았다. 썰매가 전속력으로 언덕 아래로 달리자 우리는 함께 기쁨의 함성을 질렀다. 언덕 아래 도착했을 때는 비앙카의 핑크색 방한복도 아이의 발그스름한 뺨도 반짝이는 눈 속에 묻혀 자취를 감추고 없었다. 행복에 가득 찬 아이의 두 눈과 "한 번 더 해줘요, 엄마"라고 말하는 입만 보일 뿐이었다.

말하다 보니 행복했던 기억만 떠올랐다. 나는 딸들의 작은 몸이 그리웠다. 딸들이 나를 빨고 만지고 뽀뽀하고 꼭 껴안고 싶어 하던 시절이 그리웠다. 하지만 슬프지는 않았다. 기분 좋은 아쉬움이었다. 마르타는 매일 집 창가에서 내가 직장에서 돌아오기를 기다리다 내 모습이 보이면 참지 못하고 엄마를 애타게 바라는 작고 보드라운 몸뚱이로 현관문을 열고 달음질쳐 계단을 내려왔다. 나는 아이가 넘어질까 두려워 천천히 오라고, 뛰지 말라고 손짓했다. 마르타는 어렸지만 행동이 민첩하고 야무졌다. 내가 가방을 내려놓고 무릎을 꿇은 채 마르타를 향해 두 팔을 활짝 벌리면 마르타는 나를 쓰러뜨릴 기세로 총알처럼 내 품에 날아들었다. 나는 그런 마르타를 안아주었고 마르타도 나를 꼭 끌어안았다.

딸들의 자그마한 육체는 시간과 함께 사라지고 품 안의 기억으로만 남는다. 아이들은 자란다. 엄마 키만큼 자라서 어느새 엄마 키를 훌쩍 넘어선다. 마르타는 열여섯에 벌써 나보다 더 컸다. 비앙카는 키가 자라지 않았다. 지금도 머리가 내 귀에 닿는다. 딸들은 어렸을 때처럼 가끔 내 무릎에 앉아서 둘이 동시에 말을 하고 내 몸을 쓰다듬고 내게 키스를 하곤 한다.

나는 마르타가 나 때문에 불안해하면서 자랐을까봐 걱정됐다. 엄마인 내가 자기보다 더 어린아이라도 되는 것처럼 나를 보호하기 위해 애썼다. 그래서 늘 억울해하고 자기가 매사에 부족하다고 느끼는 것이 아닌가 하는 생각이 든다. 하지만 나는 그런 내 생각에 확신이 없다. 예컨대 비앙카는 제 아빠를 닮아서 감정을 잘 표현하지 않는 편이다. 그런 비앙카조차 가끔은 부탁이라기보다는 명령에 가까운 쌀쌀맞고 무뚝뚝한 말로 내 안위를 위해 나를 재교육하려고 하는 것 같다는 느낌이 든다.

자식들은 원래 그렇다. 엄마를 사랑한다면서 품에 안기다가도 어느 순간 엄마를 머리에서부터 발끝까지 바꾸려고 하거나 완전히 다른 사람으로 만들려고 한다. 엄마인 내가 제대로 못 배워서 자기들이 세상 살아가는 법을 가르쳐줘야 한다고 생각하는 것 같다. 딸들은 내가 어떤 음악을 들어야 하고 어떤 책을 읽어야 하고 무슨 영화를 봐야 하는지 가르쳐줘야 한다고 믿는다. 너무 고리타분해서 아무도 사용하지 않는 표현은 무엇이고 사용해도 되는 표현은 무엇인지 자기들이 하나부터 열까지 다 가르쳐줘야 한다고 생각한다.

"자식들은 자기들이 부모보다 똑똑하다고 생각하지요."

조반니도 동의했다.

"가끔은 정말로 그래요."

내가 말했다.

"우리가 가르쳐준 것에 바깥세상에서 스스로 터득한 바

를 더하니까요. 우리 시대와는 전혀 다른 자기들 시대를 살아가면서 배운 것들 말이에요."

"아이들 시대는 우리 시대보다 형편없는 것 같아요."

"그런가요?"

"우리는 자식들 버릇을 잘못 들였지요. 요구사항이 너무 많지 않나요?"

"글쎄요."

"내가 어렸을 때는 뭘 가지고 놀았는지 알아요? 나무로 만든 권총을 갖고 놀았지요. 빨래집게로 개머리판을 만들고 총열에는 고무줄을 이었어요. 새총처럼 고무줄에 돌멩이를 넣고 고무줄과 돌멩이를 빨래집게에 연결하면 장전이 됐지요. 총을 쏠 때는 빨래집게를 눌렀어요. 그러면 돌멩이가 날아갔지요."

나는 호감 어린 시선으로 조반니를 바라보았다. 그에 대한 생각이 바뀌었다. 이제 보니 온화한 사람 같았다. 자기 친구들에게 나랑 그렇고 그런 사이라고 자랑하려고 내 숙소까지 올라왔을 것 같지 않았다. 그는 단지 삶에 대한 실망을 완화해줄 소박한 만족감을 찾고 싶을 뿐인지도 모른다. 멋진 자동차를 몰고 텔레비전에 나오는 사람처럼 세련된 옷을 입고 혼자 휴가 온 피렌체 여자와 수다 떨고 싶을 뿐인지도 모른다.

"요즘 사람들은 없는 게 없지요. 사람들은 쓸모없는 물건을 사려고 빚을 진답니다. 내 아내는 땡전 한 푼 허투루 쓰지 않았는데 요즘 여자들은 돈을 창밖으로 내다버리듯 펑펑 써대지요."

나는 평소 같으면 그런 식으로 현재와 가까운 과거를 폄하하면서 먼 과거를 이상화하는 태도를 못 견뎌 했지만 그날은 달랐다. 나는 조반니가 그렇게 말하는 이유가 우리네 삶에 연약하나마 붙잡을 수 있는 나뭇가지가 있다는 사실을 믿기 위한 여러 가지 방법 중 하나라고 생각했다. 매달려 있다 보면 추락할 수밖에 없는 운명에 익숙해지는 그런 나뭇가지 말이다. 물론 이렇게 말할 수도 있었다.

"나는 당신 아내와는 다른 사람이 되기 위해 노력했어요. 아마 당신 딸하고도 다를 거예요. 전 당신의 과거가 싫어요."

하지만 그와 언쟁을 벌이는 것이 무슨 소용이 있단 말인가. 차라리 뻔하지만 자장가처럼 마음을 편하게 해주는 이야기나 주고받고 있는 편이 낫다. 한참을 이야기하다 그가 쓸쓸하게 말했다.

"애들이 어렸을 때 아내는 아이들을 얌전하게 만들려고 천에 설탕을 조금 넣어 빨게 하곤 했죠."

"푸파텔라* 말씀이군요."

"부인도 푸파텔라를 알고 있습니까?"

"언젠가 할머니가 제 둘째 딸에게 만들어주셨어요. 아이가 울음을 그치지 않았거든요. 그애가 대체 왜 그러는지 아무도 몰랐어요."

"그렇죠? 그런데 지금은 무조건 아이들을 데리고 병원에 가지요. 아이 부모와 아이를 함께 치료한답시고 말이에요. 막 태어난 갓난아이와 엄마, 아빠가 모두 병들었다고 생각하는 겁니다."

조반니가 계속해서 지나간 과거를 예찬하는 동안 나는 할머니 생각을 했다. 1916년생이셨던 할머니는 그때 조반니와 비슷한 나이였을 텐데 이미 등이 굽고 자그마했다. 그때 나는 두 아이를 데리고 나폴리에 내려갔었다. 언제나처럼 피로에 찌든 데다 나를 데려다준다고 했다가 마지

* 작은 인형이라는 뜻.

막 순간에 피렌체에 남기로 한 남편에게 화가 나 있었다.

마르타가 노리개젖꼭지를 잃어버리고 악을 써대자 어머니는 평소 아기 입에 항상 젖꼭지를 물리는 나를 탓했다. 나는 어머니와 싸우기 시작했다. 나를 항상 비판하기만 하는 어머니가 지긋지긋했다. 그때 할머니가 스펀지 조각에 설탕을 묻힌 다음 결혼식에서 기념으로 나눠주는 캔디 주머니로 쓰던 얇은 베일에 싸서 끈을 묶었다. 그러자 몸뚱이와 발을 하얀 옷으로 감춘 작은 유령이 완성됐다. 순간 홀린 듯 내 마음이 가라앉았다. 마르타도 마찬가지였다.

마르타는 증조할머니 품에 안겨 작은 요정의 머리를 입에 물고 울음을 멈췄다. 심지어는 어머니까지 흥분을 가라앉히고 재미있어했다. 어머니는 내가 아주 어렸을 때, 자기가 외출해서 보이지 않을 때 내가 울고 소리를 지르기 시작하면 할머니가 그런 식으로 나를 달랬다고 했다.

나는 와인에 취해 미소를 지으면서 조반니의 어깨에 머리를 기댔다.

"몸이 안 좋습니까?"

조반니가 민망해하면서 물었다.

"아니에요."

"잠깐 누워보십시오."

나는 소파에 누웠고 조반니는 그런 내 곁에 머물렀다.

"괜찮아질 겁니다."

"괜찮아질 것도 없어요. 전 건강해요."

내가 상냥하게 말했다.

창문 너머를 바라보니 하늘에 하얗고 날렵한 구름이 한 점 떠 있었다. 나니의 파란 눈도 살짝 보였다. 이마가 볼록하게 튀어나온 머리가 반쯤 벗겨진 인형은 여전히 탁자에 놓여 있었다.

비앙카는 모유 수유를 했지만 마르타에게는 그렇게 해 주지 못했다. 둘째에게는 젖을 전혀 못 먹였다. 마르타는 젖을 물려 하지 않고 울기만 했고 그럴 때마다 나는 좌절했다. 나는 좋은 엄마가 되고 싶었다. 완전무결한 엄마가 되고 싶었는데 몸이 거부했다.

가끔 옛날 여인들은 어땠을지 생각해봤다. 너무 많은 자식을 키우느라 지칠 대로 지친 여인들과 그들이 작은 악마처럼 극성스런 아이들을 치유하고 통제하기 위해 치르던 의식들을 생각했다. 예컨대 옛날 여인들은 아이들을 밤새 숲속에 혼자 내버려두거나 얼음처럼 차가운 샘물에 들어가게 했다.

"커피라도 끓여줄까요?"

"아뇨. 괜찮아요. 움직이지 말고 여기 가만히 계셔주세요."

나는 눈을 감았다. 나무기둥에 등을 기대고 있던 니나의 모습이 떠올랐다. 나는 니나의 긴 목과 가슴을 생각했다. 엘레나가 빨았을 그녀의 젖가슴을 상상했다. 니나가 엘레나에게 젖 먹이는 법을 가르쳐주려고 인형을 가슴에 안던 모습을 생각했다. 엘레나가 니나의 행동과 자세를 따라 하던 모습을 떠올렸다. 휴가 초기였는데 그때만 해도 행복했다. 요 며칠간 느꼈던 불안감에서 빠져나오기 위해 그때의 즐거운 기분을 극대화해야 했다. 결국 우리 모두는 상냥함에 목말라 있다. 비록 가식적인 상냥함일지라도. 나는 다시 눈을 떴다.

"얼굴색이 돌아왔네요. 조금 전엔 얼굴빛이 누렜습니다."

"가끔 바다가 저를 지치게 해요."

조반니는 자리에서 일어나 테라스를 가리키며 조심스

럽게 말했다.

"괜찮으면 담배 한 대 피우겠습니다."

그는 밖으로 나가 담배에 불을 붙였고 나는 그를 뒤따라갔다.

"부인 인형입니까?"

그가 인형을 가리키면서 말했다.

정말 인형에 관심이 있어서라기보다는 그저 잘 보이고 싶은 마음에 뭔가 재미있는 말을 하려던 것 같았다.

나는 고개를 끄덕였다.

"미나예요. 제 행운의 마스코트랍니다."

조반니는 인형의 가슴을 잡고 집어들었다가 순간 당황하면서 인형을 다시 내려놓았다.

"안에 물이 있네요."

나는 뭐라 말해야 할지 몰라 입을 다물었다.

조반니는 무슨 이유에선지 나에 대한 경각심이 들었는지 나를 물끄러미 바라보았다.

"인형을 도둑맞은 불쌍한 아이 소문을 들었습니까?"

그가 물었다.

21

나는 애써 공부에 집중하며 거의 밤을 새우다시피 했다. 사춘기 시절부터 나는 자기 통제력이 강했다. 공부할 때면 머릿속의 잡념을 내쫓고 고통과 수치심을 잠재우고 불안감을 마음 한구석으로 밀어놓을 수 있었다.

나는 새벽 네 시가 다 되어서야 공부를 멈췄다. 솔방울에 맞았던 등이 다시 아파왔다. 다음 날 나는 아침 아홉 시에 일어나 테라스에서 바람에 전율하는 바다를 바라보면서 아침을 먹었다. 테라스에 있는 탁상에 앉아 밤을 보낸 나니는 옷이 눅눅했다. 잠깐이나마 나니가 입술을 움직이며 장난으로 나를 향해 빨간 혀를 날름거린 것 같았다.

바닷가에 가고 싶은 마음도 외출하고 싶은 마음도 없었다. 바를 지나다 자기 또래 노인들과 수다 떨고 있을 조반니와 마주칠지도 모른다는 생각에 짜증이 났다. 하지만 이제는 정말 인형 문제를 해결해야 할 것 같았다. 나는 우울한 눈빛으로 나니를 바라보다 나니의 한쪽 뺨을 쓰다듬어보았다. 인형을 떠나보내야 한다는 사실에 대한 속상한 마음이 누그러지기는커녕 전보다 심해졌다.

나는 혼란스러웠다. 엘레나보다 내가 더 인형 없이 못 살 것 같았다.

인형을 숨기지 않고 조반니를 집 안에 들이다니 정말 경솔했다. 처음으로 휴가를 중단하고 오늘이나 내일 떠나버릴까 하는 생각까지 했다가 문득 그런 내 자신이 우습게 느껴졌다. 인형이 아닌 진짜 아이를 납치한 것처럼 도망칠 계획을 세우다니 정말 갈 때까지 갔구나 싶었다. 나는 식탁을 정리하고 세수를 하고 정성스레 화장을 했다. 예쁘게 차려 입고 집을 나섰다.

그날은 장날이었다. 차량이 통제된 광장과 메인 도로와 갓길이 빽빽이 들어선 노점 때문에 미로 같았고 동네 진입로는 도심처럼 교통 체증이 심했다. 나는 인파 속에 파묻혔다. 대부분 여자들이었다. 그들은 옷, 재킷, 코트, 레인코트, 모자, 장신구, 다양한 가사용품 등 온갖 잡다한 물건을 뒤지고 있었다. 그곳에는 진품과 모조품이 뒤섞인 골동품, 화분, 치즈와 햄, 야채, 과일, 조잡한 바다 그림과 약초상이 만든 기적의 액체가 든 병 따위가 있었다.

나는 시장 구경을 좋아한다. 특히 헌 옷이나 요즘 만든 빈티지풍의 장식품과 소품을 좋아해서 구경을 하다가 오래된 원피스, 블라우스, 바지, 귀걸이, 브로치 장식품 등 닥치는 대로 물건을 사곤 했다. 나는 걸음을 멈추고 크리스털로 만든 문진과 오래된 다리미, 오페라 글라스와 해마 모양의 금속 주조물, 나폴리식 커피포트 등이 수북이 쌓인 잡동사니 더미를 뒤졌다. 흑색 호박으로 장식된 끝이 뾰족하고 핀 부분이 위험할 정도로 길고 날카로워 보이는 브로치를 살펴보고 있는데 휴대폰이 울렸다.

딸들에게 전화 올 시간은 아니었지만 딸들이겠거니 생각했다. 그런데 휴대폰 화면에 뜬 번호는 비앙카의 번호도 마르타의 번호도 아니었다. 하지만 나는 그것이 누구 번호인지 알 것 같았다. 나는 전화를 받았다.

"레다 부인이신가요?"

"네."

"저는 인형을 잃어버린 아이 엄마예요. 그러니까…"

나는 깜짝 놀랐다. 불안감과 즐거움이 동시에 밀려들면서 심장이 빠르게 뛰기 시작했다.

"안녕하세요, 니나."

"부인 번호가 맞나 확인하고 싶었어요."

"제 번호 맞아요."

"어제 소나무 숲에서 부인을 봤어요."

"저도 당신을 봤어요."

"이야기를 좀 나누고 싶은데요."

"그래요. 언제가 좋으신가요?"

"지금이오."

"지금은 시내에 있어요. 장이 섰거든요."

"알아요. 십 분 전부터 부인 뒤를 따라가고 있었어요. 그런데 사람이 너무 많아서 계속 부인을 놓쳐요."

"저는 지금 분수대 옆에 있어요. 오래된 물건을 파는 노점 옆에요. 여기에서 움직이지 않을게요."

나는 요동치는 심장을 가라앉히기 위해 손가락 두 개로 가슴을 눌렀다. 기계적으로 물건을 뒤적이다 몇 개를 집어들고 살폈지만 정말로 관심 있는 것은 아니었다.

니나가 인파 속에서 모습을 드러냈다. 엘레나를 태운 유모차를 끌고 있었다. 남편에게 선물받은 커다란 모자가 바닷바람에 날아가지 않도록 가끔 한 손으로 모자를 눌렀다.

"안녕?"

나는 슬픈 눈빛으로 노리개젖꼭지를 물고 있는 엘레나

에게 인사했다.

“열은 내렸니?”

니나가 딸 대신 대답했다.

“몸은 괜찮은데 도무지 포기를 못 하네요. 자기 인형을 찾아달래요.”

엘레나가 노리개젖꼭지를 입에서 빼고 말했다.

“약을 먹여야 하거든요.”

“나니가 아프니?”

“뱃속에 아기가 있어요.”

나는 당황한 눈빛으로 엘레나를 바라보았다.

“그럼 나니 아기가 아파?”

니나가 멋쩍게 웃으며 끼어들었다.

“우리끼리 하는 놀이예요. 시누이가 자기가 약을 먹을 때 인형에게도 약 먹이는 시늉을 하거든요.”

니나가 웃으면서 말했다.

“나니도 임신했나요?”

“엘레나는 고모랑 인형이 둘 다 아기를 가졌다고 생각하기로 했대요. 그렇지 엘레나?”

순간 모자가 바람에 날아가 내가 주워주었다. 니나는

머리를 위로 틀어올렸는데 그렇게 하니 더 예뻐 보였다.

"감사해요. 바람에 못 버티네요."

"잠깐 기다려봐요."

내가 말했다.

나는 호박 장식이 달린 기다란 브로치로 모자를 니나의 머리에 조심스레 고정해주었다.

"됐어요. 이제는 벗겨지지 않을 거예요. 대신 아이가 손을 못 대게 조심하고 집에 가면 소독을 꼼꼼히 하세요. 자칫 잘못하면 심하게 긁힐 수 있어요."

나는 노점상에게 브로치가 얼마인지 묻고 니나가 돈을 내지 못하게 막았다.

"이 정도는 괜찮아요."

우리는 말을 놓기로 했다. 내가 먼저 그렇게 하자고 했다. 니나는 민망하다면서 거절하다 결국 내 말에 따르기로 했다. 니나는 요즘 너무 힘들다고 불만을 터뜨렸다. 아이가 통제 불능이라고 했다.

"아가, 착하지. 그 젖꼭지 좀 빼자꾸나."

니나가 말했다.

"레다 이모한테 잘 보여야지."

니나는 흥분한 목소리로 엘레나 이야기를 했다. 인형이 사라진 후로 엘레나가 더 어린아이처럼 군다고 했다. 항상 품에 안겨 있거나 유모차를 타려 했고 이미 오래전에 끊었던 노리개젖꼭지를 다시 찾는다고 했다. 니나는 더 안전한 장소를 찾는 듯 주변을 돌아보더니 공원 쪽으로 유모차를 밀었다. 니나는 한숨을 내쉬면서 정말 피곤하다고 했다. 내게 자신의 육체적인 피로 그 이면에 있는 것을 느끼게 하려는 듯 피곤하다는 말에 힘을 주었다. 그러더니 갑자기 웃음을 터뜨렸다. 나는 니나가 즐거워서 웃는 것이 아니라는 것을 알았다. 병든 웃음이었다.

"내가 지노랑 함께 있는 모습을 봤다는 걸 알아. 언니가 나쁘게 생각하지 않았으면 좋겠어."

"나는 아무도 나쁘게 생각 안 해. 무슨 이유에서든."

"나도 알아. 언니라면 그럴 거라고 생각해. 언니를 처음 봤을 때 나도 저 사람처럼 되고 싶다고 생각했어."

"내가 뭐가 특별하다고."

"아름답고 세련되고 딱 봐도 아는 게 많아 보이니까."

"나는 아는 게 별로 없어."

니나는 고개를 힘차게 가로저었다.

"언니는 매사에 자신감이 넘치잖아. 아무것도 두려워하지 않고. 언니가 처음 해변에 도착했을 때부터 나는 알아봤어. 언니를 쳐다보면서 언니도 내 쪽을 바라봐주었으면 했는데 절대로 안 보더라."

우리는 잠시 공원을 산책하면서 소나무 숲에서 일어난 일과 지노에 대해 이야기했다.

"언니가 본 장면은 아무런 의미가 없어."

"거짓말."

"아니, 정말이야. 지노가 그럴 때면 나는 그를 밀어내고 입술을 꼭 다물어. 그저 잠시나마 소녀 시절로 돌아가고 싶어서 그래. 하지만 그런 시늉만 할 뿐이야."

"엘레나를 낳았을 때 몇 살이었지?"

"열아홉 살. 엘레나는 이제 곧 세 살이 돼."

"너무 빨리 엄마가 된 것일 수도 있어."

니나는 고개를 힘껏 가로저었다.

"나는 엘레나가 좋아. 모든 것에 만족해. 요즘 좀 힘들어서 그래. 우리 엘레나를 힘들게 한 놈을 찾기만 하면…"

"어떻게 하려고?"

내가 장난스레 물었다.

"그건 두고 봐."

나는 니나를 진정하게 하려고 한쪽 팔을 쓰다듬었다. 내가 보기에는 니나가 억지로 자기 식구들의 말투와 표현을 흉내 내고 있는 것 같았다. 자기 말을 더 그럴듯하게 들리게 하려고 나폴리 억양까지 더 강하게 썼다. 나는 그런 니나에게 애틋함에 가까운 감정을 느꼈다.

"난 괜찮아."

니나는 그 말을 몇 번이고 되뇌다 자기가 어떻게 남편을 사랑하게 됐는지 들려주었다. 니나는 자기가 열여섯 살 때 디스코텍에서 처음 남편을 만났다고 했다. 그의 남편은 니나를 사랑했다. 그녀와 자기 딸을 끔찍이 아꼈다. 니나는 다시 신경질적으로 웃었다.

"남편은 내 가슴이 딱 자기 손 크기만 하대."

니나의 말이 천박하게 느껴져 내가 물었다.

"남편한테 내가 본 장면을 들키면 어떡해?"

니나의 표정이 심각해졌다.

"그이라면 내 모가지를 비틀어버리고도 남을걸?"

나는 니나와 엘레나를 번갈아 바라보았다.

"내가 어떻게 해주길 원해?"

니나는 고개를 가로저으면서 속삭였다.

"몰라. 그저 이야기를 나누고 싶을 뿐이야. 해변에서 언니를 볼 때마다 언니 파라솔 아래에서 하루 종일 수다 떨고 싶다는 생각을 해. 하지만 언니는 내게 곧 질리겠지. 나는 정말이지 멍청하거든. 지노는 언니가 대학 교수님이라고 했어. 나도 고등학교를 졸업한 후에 문학 전공으로 대학에 입학했지만 두 번 시험 보고 그만뒀어."

"일은 안 하고?"

니나가 다시 웃음을 터뜨렸다.

"일은 남편이 하지."

"남편 직업이 뭔데?"

니나는 언짢아하며 내 질문에 대답하지 않았다. 순간 니나의 두 눈에 적의가 스쳐 지나갔다. 니나가 말했다.

"남편 이야기는 하기 싫어. 로사리아가 장을 보고 있는데 언제 나를 부를지 모르거든. 그럼 이런 대화도 끝이야."

"로사리아는 네가 나랑 이야기하는 것을 싫어해?"

니나는 화난 표정을 지어 보였다.

"로사리아는 내가 아무것도 하지 않길 바라지."

니나는 잠시 입을 다물었다 망설이면서 물었다.

"아주 개인적인 질문 하나만 해도 될까?"

"말해봐."

"왜 딸들 곁을 떠났던 거야?"

나는 니나에게 도움이 될 만한 대답을 생각해내기 위해 잠시 생각에 잠겼다.

"나는 딸들을 너무나 사랑했어. 그런데 아이들에 대한 사랑 때문에 내 진정한 모습을 찾지 못하는 것 같았어."

나는 니나의 얼굴에서 웃음기가 사라졌다는 사실을 깨달았다. 니나는 내 말 한마디 한마디에 집중하고 있었다.

"3년 동안 아이들을 한 번도 안 본 거야?"

나는 고개를 끄덕였다.

"아이들이 없으니 기분이 어땠어?"

"좋았어. 마치 온몸이 산산조각 나서 충만함에 가득 차 자유롭게 사방으로 흩어져 날아가는 것 같았어."

"힘들지는 않았어?"

"아니. 그러기엔 내 인생을 사느라 정신이 없었어. 대신 뭔가 무겁게 가슴을 억누르는 것 같았어. 배가 아픈 것처럼 말이야. 어린아이가 엄마를 부르는 소리를 들을 때마다 가슴이 철렁해서 뒤돌아보곤 했지."

"그럼 괜찮았던 게 아니네. 힘들었던 거네."

"그때 나는 내 인생의 주인이 되기 위해 애쓰고 있었어. 수많은 감정을 동시에 느꼈는데 그중에 참을 수 없는 그리움의 감정도 있었던 거지."

니나의 시선에서 반감이 느껴졌다.

"그렇게 잘 지냈으면서 왜 돌아갔어?"

나는 어휘 선택에 신중을 기울였다.

"내가 창조할 수 있는 것 가운데 딸들과 견줄 만한 것은 아무것도 없다는 사실을 깨달았기 때문이야."

니나는 갑자기 만족스럽게 웃었다.

"그럼 딸들을 사랑해서 돌아간 거네."

"아니. 내가 딸들에게 돌아간 이유는 내가 딸들을 떠났던 이유와 똑같아. 나 자신을 사랑했기 때문이야."

니나의 표정이 다시 어두워졌다.

"그게 무슨 뜻이야?"

"아이들과 함께할 때보다 아이들이 없을 때 내 자신이 더 쓸모없게 느껴지고 더 절망적이었다는 뜻이지."

니나는 시선으로 나의 내면을, 그러니까 내 마음속과 내 머릿속에 들어 있는 것을 파헤치려 했다.

"찾던 것을 찾았는데 막상 찾고 보니 마음에 들지 않았던 거야?"

나는 니나를 향해 미소를 지었다.

"니나, 내가 찾아 헤매던 것은 엄청난 욕망과 오만이 복잡하게 뒤얽힌 그 무엇이었어. 내가 운이 없었다면 그 사실을 깨닫기까지 한평생 걸렸겠지. 하지만 운 좋게도 나는 3년 만에 깨달은 거야. 3년하고도 36일 만에 말이야."

니나는 만족하지 못한 표정이었다.

"어떤 일을 계기로 돌아가게 된 건데?"

"어느 날 아침 나는 내가 정말 하고 싶은 일은 아이들 앞에서 과일 껍질을 뱀 모양으로 벗기는 일뿐이라는 사실을 깨닫고 울음을 터뜨렸어."

"나는 이해가 잘 안 돼."

"기회가 되면 이야기해줄게."

니나는 내 이야기를 꼭 듣고 싶다는 마음을 표현하고 싶어 고개를 크게 끄덕였다. 그녀는 그새 엘레나가 잠든 것을 깨닫고 노리개젖꼭지를 엘레나 입에서 조심스레 빼낸 후 화장지로 싸서 가방에 넣었다. 니나는 딸에 대한 애틋함을 드러내며 사랑스럽게 얼굴을 찡긋해 보인 후 말을 이었다.

"딸들 곁으로 돌아간 다음에는 어떻게 지냈어?"

"전부 포기하고 나보다는 딸들을 위해 살기로 마음먹었지. 조금씩 그런 삶에 익숙해졌고."

"그럼 언젠가는 지나가는 거네."

"뭐가?"

니나는 어지럽거나 속이 울렁거릴 때 하는 동작을 취했다.

"혼란스러운 마음 말이야."

순간 어머니가 생각났다.

"내 어머니는 다른 표현을 썼어. 파편화된다는 표현을 쓰셨지."

니나는 그 표현에 내포된 감성을 이해하고 겁에 질린 소녀처럼 나를 바라보았다.

"맞아. 심장이 부서져 내리는 것 같을 때가 있지. 자기 자신이 견디기 힘들어지고 차마 입 밖으로 꺼낼 수 없는 생각에 사로잡힐 때가 있어."

니나는 누군가 어루만져주기를 바라는 것 같은 부드러운 표정으로 내게 다시 물었다.

"어쨌든 언젠가는 그런 감정이 사라진다는 거네."

그러고 보니 비앙카나 마르타는 내게 니나 같은 질문을 이렇게도 끈질기게 한 적이 없었다. 나는 진실을 말하면서도 니나를 속일 수 있게 단어 선택에 신중을 기했다.

"그런 감정 때문에 결국 내 어머니는 병이 나셨어. 하지만 어머니만 해도 지금과는 다른 시대에 속하신 분이셨지. 요즘은 그런 감정이 사라지지 않아도 잘 살 수 있어."

니나가 수긍하지 못하는 것 같아 나는 다른 말을 하려다가 그만두었다. 나는 니나가 나를 껴안고 싶어 한다는 사실을 눈치챘다. 나 역시 마찬가지였다. 고마운 마음이 신체적 접촉을 갈망하는 형태로 드러난 것이었다.

"그만 가봐야겠어."

이렇게 말하며 니나는 본능적으로 내 입술에 키스했다. 가볍고 수줍은 키스였다.

니나가 내게서 몸을 뗐을 때 니나의 어깨 너머로 로사리아와 그녀의 남동생, 그러니까 니나의 남편이 공원 반대편에서 노점과 인파를 지나 우리를 향해 다가오는 모습이 눈에 들어왔다.

22

나는 조용히 말했다.

"저기 시누이와 남편이 있어."

순간 짜증과 놀라움이 니나의 눈빛에 스쳤지만 그녀는 침착함을 잃지 않았고 뒤돌아보지도 않았다.

"우리 남편?"

"그래."

"젠장, 저 얼간이는 내일 저녁에 오기로 해놓고 여기서 뭘 하는 거지?"

어느새 니나 말투에 사투리 억양이 튀어나왔다. 니나는 엘레나가 깰까봐 유모차를 조심스럽게 밀었다.

"전화해도 돼?"

니나가 내게 물었다.

"언제든지."

니나가 반갑게 손을 흔들자 니나의 남편도 똑같이 손을 흔들었다.

"나 좀 데려다줘, 언니."

니나가 내게 말했다.

나는 니나의 부탁대로 해주었다. 공원 입구에 서 있는 남매가 얼마나 똑 닮았는지 새삼 놀랐다. 똑같은 키에 똑같이 넓적한 얼굴, 두터운 목과 도톰하고 도드라진 아랫입술까지 똑같았다. 남매가 멋지다고 생각하면서 감탄했다. 둘은 땅에서 기어코 마지막 물 한 방울까지 빨아들이고야 마는 나무처럼 다부진 몸을 아스팔트에 뿌리박고 있었다. 나는 그 모습이 견고한 배 같다고 생각했다. 그 무엇도 그들을 막을 수 없을 것 같았다.

그들에 비하면 나는 언제나 망설이기만 한다. 나는 어린 시절부터 그런 부류의 사람들을 두려워했고 때로는 혐오스럽게 생각했다. 내가 그들보다 고귀한 운명과 섬세한 감성을 타고났다는 교만한 생각을 했다. 그렇기 때문에 지금껏 그들의 결연한 모습에 솔직하게 감탄하지 못한 것이다.

어떤 기준으로 니나는 아름답고 로사리아는 그렇지 않다고 규정할 수 있는가. 어떤 기준으로 지노는 잘생겼고 니나의 위협적인 남편은 그렇지 않다고 규정할 수 있는가. 임신한 로사리아를 바라보고 있으니 노란 옷 아래 감춰진 그녀의 뱃속에 웅크린 채 엄마 몸에서 영양분을 취하고 있는 그녀의 딸이 눈에 보이는 듯했다. 순간 유모차에서 지쳐 잠든 엘레나와 집에 놓고 온 인형이 떠올라 집에 가고 싶어졌다.

니나는 남편의 뺨에 키스한 뒤 사투리로 말했다.

"당신이 예정보다 일찍 와서 얼마나 기쁜지 몰라."

남편이 엘레나에게 입 맞추기 위해 몸을 굽히려는데 니나가 말했다.

"엘레나는 잠들었어. 깨우지 마. 요즘 엘레나 때문에 얼마나 힘든지 알잖아."

그러고는 나를 가리키면서 말했다.

"레다 부인 기억하지? 우리 레누차를 찾아준 분이잖아."

니나의 남편은 조심스레 딸의 이마에 입을 맞췄다.

"애가 땀이 났네."

그 역시 사투리로 말했다.

"열이 내린 게 확실해?"

그는 몸을 일으키면서 나를 향해 여전히 사투리로 정중하게 말했다. 셔츠 사이로 불룩한 배가 보였다.

"같이 더 계시죠. 일하지 않으셔도 되는 부인이 부럽습니다."

그러자 로사리아가 정색을 하고 갑자기 끼어들었다. 자기 남동생보다 말조심을 하려는 게 보였다.

"토니, 여기 이분은 일하시는 분이야. 해수욕을 하면서도 일을 하신다니까. 물놀이나 하면서 노는 우리와는 달라. 그럼 즐거운 하루 보내세요, 레다 부인."

로사리아의 말이 끝나자 그들은 함께 떠나갔다.

나는 니나가 남편과 팔짱 끼는 모습을 지켜보았다. 뒤도 한 번 돌아보지 않고 멀어져 가는 동안 그녀는 웃으면서 남편과 이야기를 했다. 남편과 시누이 사이에서 한층 더 가냘파 보이는 니나를 바라보고 있으니 그녀가 갑작스런 충격에 떠밀려 딸들보다 훨씬 멀리 내 곁에서 떨어져 나간 것처럼 느껴졌다.

장터에서 벗어나니 교통이 혼잡했다. 어른 아이 할 것 없이 한데 뒤섞인 사람들의 행렬이 강의 지류처럼 장터로 합류하거나 장터에서 갈라져 나왔다. 나는 인적이 드문 길을 택했다. 숙소 건물 계단을 오르는데 마지막 층에 이르자 왠지 모르게 마음이 다급해졌다.

인형은 여전히 테라스 탁자에 있었다. 그새 햇살에 옷

이 다 말랐다. 나는 조심스럽게 인형의 옷을 하나도 남김 없이 다 벗겼다. 어린 시절 마르타에게는 눈에 보이는 구멍이란 구멍에 물건을 집어넣는 습관이 있었다. 그렇게 꼭꼭 숨겨놔야 나중에 안전하게 다시 찾아낼 수 있다고 생각하는 것 같았다. 한번은 잘게 조각낸 생파스타면을 라디오 안에서 발견한 적도 있었다. 나는 나니를 데리고 욕실에 가서 웃통을 잡고 머리를 아래로 향하게 했다. 인형을 세차게 흔들자 입으로 탁한 물방울을 내뿜었다.

엘레나는 인형 안에 대체 무엇을 집어넣은 것일까. 처음 임신 사실을 알았을 때 나는 몹시 행복했다. 내 몸속에 생명이 자라고 있다는 생각에 기뻤다. 나는 최선을 다하고 싶었다. 우리 집 여자들은 원래 임신하면 몸이 붓고 옆으로 퍼진다. 태 속에 자리 잡은 생명체가 오랜 지병처럼 그들의 육체를 변화시켜 출산 후에도 예전 모습으로 돌아가지 못하게 했다.

나는 임신 기간에 각별한 주의를 기울이고 싶었다. 나는 자식을 일곱이나 낳은 내 할머니도 딸 넷을 낳은 내 어머니도 아니었다. 내 이모나 사촌들도 아니었다. 나는 그들과 달랐다. 나는 우리 가족의 반항아였다. 나는 내 배가 부풀어 오르는 것을 기쁘게 생각하고 싶었다. 내 몸이 임신에 잘 적응할 수 있도록 내 몸을 관찰하고 내 몸의 변화를 주도하면서 9개월간의 기다림을 즐기고 싶었다.

나는 사춘기 때부터 고집스러울 정도로 매사에 그런 자세로 임했다. 내 스스로를 미래라는 모자이크 작품의 찬란한 조각이라고 생각하고 몸 관리에 유의하면서 의사의 지시를 엄격하게 따랐다. 덕분에 임신 기간 내내 나는 아름답고 세련되고 활동적이며 행복한 상태를 유지했다. 나는 뱃속의 생명체에게 이야기를 하고 음악을 들려주었다. 내가 분석하고 있던 작품을 원어로 읽어준 다음 창의력을 발휘해 아이에게 번역을 해주고는 자부심을 느끼곤 했다.

후에 비앙카가 된 생명체는 내게 처음부터 비앙카였다. 온몸에 묻은 체액과 혈액을 닦아내자 아이는 벌써 지성을 갖춘 인간처럼 보였다. 성장하면서 드러나는 눈먼 잔혹함의 기미가 보이지 않는 완벽한 존재였다.

나는 길고 격렬한 산통마저 열심히 준비해서 통과해야 할 어려운 시험으로 간주했다. 다른 누구보다도 나 스스로에게 자랑스럽게 기억되고 싶은 마음에 두려움을 극복했다.

실제로 나는 그런 내 목표를 이뤘다. 비앙카가 내 몸에서 빠져나와 잠시 내 품에 안겼던 그 순간 나는 얼마나 행복했던가. 그때야말로 내 인생에서 가장 강렬한 순간이었다.

욕조 안에 얼굴을 처박고 모래 섞인 진흙물을 토해내는 나니를 바라보고 있자니 처음 임신했을 때의 나와 닮은 점이 하나도 없다는 생각이 들었다. 비앙카 때는 입덧이 그리 심하지 않았고 입덧 기간도 짧았다.

나는 다시 마르타를 낳았다. 마르타는 내 몸을 공격해 통제 불가능한 상태로 만들어놓았다. 마르타는 비앙카와는 달리 처음부터 마르타가 아니었다. 뱃속에 살아 있는 철 조각이 들어 있는 것 같았다. 임신 기간 내내 몸 전체가 피로만 구성된 액체 덩어리가 된 것 같았다. 그 안에 끈적끈적한 침전물이 있고 그 침전물 속에 난폭한 강장동물 같은 것이 자라나고 있는 것 같았다.

인간과는 거리가 먼 그 물질은 자기가 영양분을 취하고 팽창하기 위해서라면 나를 생명 없는 썩은 시체로 만들어놓을 기세였다. 시꺼먼 침을 뱉어내는 나니의 모습은 둘째를 임신했을 때 내 모습 같았다.

깨닫지 못했을 뿐 그때 나는 이미 불행했다. 어린 비앙카는 아름다웠던 출산의 경험 뒤에 갑자기 변해버렸다. 비앙카는 나를 배신하고 내 모든 힘과 기운과 상상력을 앗아가 버렸다. 남편은 자기 일에 너무 바빠서 자기 딸이 내 뱃속에 있을 때와는 달리 게걸스럽고, 까다로운 데다 성격이 밥맛이라는 사실조차 깨닫지 못하는 것 같았다.

나는 두 번째 임신을 첫 임신 때처럼 기쁘게 감내할 만한 힘이 내게 없다는 사실을 서서히 깨달았다. 이성이 육체에 잠식당하고 말았다. 그 어떤 산문이나 시구나 수사적인 표현이나 멜로디도, 그 어떤 영화 장면이나 색채로도 뱃속에 든 어둠의 야수를 얌전하게 만들지 못했다. 내가 정말 좌절한 것은 바로 그때였다. 임신의 숭고를 하나도 찾지 못하고 첫 임신과 출산의 행복한 기억마저 파괴되자 나는 무너지고 말았다.

'오, 나니, 나니!'

인형은 아직도 태연한 표정으로 흙탕물을 게워내고 있었다.

'뱃속에 있던 진흙을 모두 뱉어냈구나, 착하기도 하지.'

나는 손가락 하나로 인형의 입을 벌리고 그 안에 수돗

물을 넣은 다음 세차게 흔들어 인형의 몸통과 배에 시커멓게 뚫린 구덩이를 깨끗이 닦아냈다. 그렇게 해서 엘레나가 심어놓은 태아를 바깥세상으로 꺼내놓았다.

이 모든 것이 놀이처럼 느껴졌다. 딸들에게 감추는 것이 없어야 한다. 딸들의 어린 시절 내가 그애들에게 한 짓부터 말이다. 그 이야기를 들은 후에 세상과 화해할 방법을 찾는 것은 딸들의 몫이다. 나도 지금 놀이를 하고 있다. 어머니라는 존재는 결국 엄마 놀이를 하고 있는 딸일 뿐이다. 놀이는 내 사유에 도움이 되었다.

나는 눈썹 다듬기용 족집게를 찾았다. 인형 입속에 뭔가 있는데 도무지 빼낼 수 없었기 때문이다. 이것부터, 이 물체를 빼내는 것부터 다시 시작해야겠다고 나는 생각했다. 어렸을 때부터 방금 전 금속 족집게로 집은 이 벌겋고 팅팅 부은 물렁물렁한 물체를 바로 알아봤어야 했다. 그 물질을 있는 그대로 받아들였어야 했다. 인간과 닮은 구석이라고는 하나도 없는 그 불쌍한 생명체는 바로 엘레나가 자기 인형을 로사리아 고모처럼 임신시키고 싶어서 뱃속에 집어넣은 아기였다.

나는 조심스레 그것을 꺼냈다. 정확한 이름은 모르지만

해변에서 흔히 볼 수 있는 벌레였다. 아마추어 낚시꾼이 새벽 낚시를 나와 젖은 모래 속에서 찾아내는 벌레였다.

40년 전 가릴리아노와 가에타 사이 해안에서 내 사촌 오빠들도 그랬다. 나는 역겨워하면서도 그런 오빠들을 홀린 듯 바라보곤 했다. 그들은 손가락으로 벌레를 집어 미끼용으로 낚싯바늘에 꿰었다. 물고기가 미끼를 물면 능숙하게 릴을 풀어 물고기를 어깨 뒤로 던졌고 그러면 물고기는 마른 모래 위에서 고통에 몸부림치며 죽어갔다.

나는 엄지손가락으로 나니의 부드러운 입술을 벌리고 족집게를 조심스레 움직였다. 나는 원래 기어 다니는 모든 것을 혐오한다. 하지만 인형의 입에서 꺼낸 그 응고물에 대해서만큼은 무방비 상태의 연민을 느꼈다.

23

그날 나는 늦은 오후가 되어서야 해변에 갔다. 니나와 멀찌감치 떨어져 내 자리에서 휴가 초반에 그랬던 것처럼 호의적인 호기심으로 그녀를 관찰했다. 니나는 신경이 예민해져 있었다. 엘레나가 잠시도 제 엄마를 가만히 두지 않았기 때문이다.

해질 녘이 되어 다들 해변에서 떠날 준비를 하는데 엘레나가 또 수영을 하고 싶다고 떼를 썼다. 로사리아가 엘레나를 데리고 가겠다고 나섰다. 순간 니나는 이성을 잃고 시누이에게 험한 사투리로 천박한 말을 퍼부으면서 악을 쓰기 시작했다. 그 바람에 모든 피서객의 시선을 한 몸에 받게 되었다. 로사리아는 니나의 말에 한마디도 대꾸하지 않았다.

니나의 남편 토니노가 끼어들었다. 토니노는 니나의 팔을 잡고 해안으로 끌고 갔다. 토니노는 어떠한 상황에서도 이성을 잃지 않도록 훈련받은 사람 같았다.

폭력적인 행동을 할 때마저 그랬다. 토니노가 니나에게 뭔가 단호히 말했지만 마치 무성영화의 한 장면처럼 내게는 아무런 소리도 들리지 않았다. 니나는 모래만 바라보고 있다 이따금 손끝으로 눈을 만졌다. 가끔 토니노의 말에 아니라고 대답하는 소리가 들렸다.

상황이 정리되자 나폴리 사람들은 삼삼오오 짝을 지어 소나무 숲에 있는 별장으로 향했다. 니나와 로사리아는 냉랭한 분위기로 몇 마디 대화를 주고받았다. 로사리아는 엘레나를 품에 안고 걸으면서 이따금 아이에게 뽀뽀 세례를 퍼부었다. 지노가 선베드와 의자와 땅에 떨어진 장난감을 정리하는 모습이 눈에 들어왔다. 그는 파라솔에 걸려 있는 푸른색 파레오를 집어 들더니 무엇인가를 골똘히 생각하면서 파레오를 정성껏 갰다. 한 사내아이가 달음박질쳐오더니 지노의 손에서 버릇없이 옷을 낚아채고는 모래언덕 쪽으로 자취를 감췄다.

그후로 우울한 날들이 물 흐르듯 지나고 어느덧 주말이 되었다. 금요일부터 어마어마한 규모의 피서객이 해변에 모여들기 시작했다. 무더운 날씨였다. 사람이 많아지자 니나는 더 예민해졌다. 엘레나에게서 단 한순간도 눈을 떼지 않고 아이가 몇 걸음만 멀어져도 동물적인 본능으로 벌떡 일어났다.

우리는 해안에서 절제된 인사를 나누고 엘레나에 대해 겨우 몇 마디 주고받았다. 나는 엘레나 곁에 무릎을 꿇고 앉아 아이에게 농담 비슷한 말을 했다. 엘레나는 두 눈이 충혈되었고 한쪽 뺨과 이마에 모기 물린 자국이 있었다. 로사리아도 발에 물을 적시러 왔지만 나를 못 본 체했다. 내가 먼저 인사를 건네자 그제야 마뜩치 않게 응대했다.

오전에 토니노와 니나가 엘레나를 데리고 비치하우스 바에 앉아 아이스크림 먹는 모습이 보였다. 계산대에서 커피를 주문하느라 세 식구 옆을 지나쳤지만 토니노와 니나는 아이 때문에 정신이 팔려 나를 못 본 듯했다. 그런데 막상 내가 돈을 내려 하자 가게 주인이 계산할 것이 없다고 했다. 토니노가 커피 값을 자기 계산서에 달아놓으라는 신호를 보내놓은 것이었다. 고맙다는 인사를 하려 했지만 셋은 이미 떠나고 없었다. 토니노와 니나는 엘레나를 데리고 해변으로 가고 있었는데 아이는 안중에도 없이 티격태격하고 있었다.

지노는 공부하는 척하면서 그들을 훔쳐보고 있다 내가 가끔 고개를 살짝 돌리다 그와 눈이 마주치면 화들짝 놀라곤 했다.

시간이 갈수록 해변에 사람이 많아졌다. 니나의 모습이 피서객 사이로 사라지자 지노는 아예 책을 내팽개치고 가지고 있던 망원경으로 해안을 살피기 시작했다. 지금 당장 해일이 일까봐 걱정이라도 하는 것 같았다.

나는 망원경의 도움으로 시력이 강화된 지노의 눈에 보이는 장면이 아니라 지노가 머릿속에 떠올릴 장면을 상상해보았다. 이른 오후의 무더위를 식히려고 낮잠을 자기 위해 숙소로 돌아가는 나폴리 대가족과 선선한 그늘 아래 있는 부부 침대, 남편에게 꼭 달라붙어 있는 니나와 그들의 몸에서 흐르는 땀…

니나는 오후 다섯 시가 다 되어 해변으로 돌아왔다. 기분이 좋아보였다. 니나 곁에는 엘레나를 품에 안은 그녀의 남편이 있었다. 지노는 속상한 듯 니나를 바라보다 책으로 시선을 떨구었다. 그는 가끔 내 쪽을 쳐다보다 시선을 다른 쪽으로 돌렸다. 지노와 나는 같은 기다림을 공유하고 있었다. 우리는 어서 주말이 지나 해변은 평온해지고 니나의 남편은 떠나서 니나가 우리와 다시 이야기를 나눌 수 있게 되기를 바랐다.

그날 저녁 나는 아무 영화나 보러 극장에 갔다. 상영관은 반쯤 비어 있었다. 조명이 꺼지고 영화가 시작되려는데 한 무리의 사내아이가 들어왔다. 그들은 팝콘을 우적우적 씹어먹으면서 낄낄댔다. 자기들끼리 욕지거리를 하고 휴대폰 벨소리를 울리게 하고 스크린에 영사된 여배우들의 그림자를 향해 추잡한 말을 해댔다. 나는 아무리 형편없는 영화라도 영화볼 때 방해받는 것을 싫어한다. 나는 처음에는 강압적으로 '쉿' 소리를 냈지만 그래도 소용이 없자 그들을 향해 고개를 돌리고 당장 조용히 하지 않으면 극장 관리인을 부르겠다고 했다. 니나네 조무래기들이었다.

"부를 테면 불러보시지."

그들이 내게 야유를 보냈다. 극장 관리인이라는 말을 처음 들어보는 듯했다.

그들 중 한 명이 내게 사투리로 외쳤다.

"부를 테면 불러봐, 이 멍청한 년아! 그 빌어먹을 자식을 불러보시지!"

나는 자리에서 일어나 매표소로 가서 게으르지만 친절한 털북숭이 남자에게 상황을 설명했다. 그는 자기가 알아서 하겠다면서 나를 진정시켰고 나는 낄낄대는 소년들 사이를 지나 내 자리로 돌아왔다. 잠시 후 남자가 커튼을 한쪽으로 젖힌 후 상영관에 들어와 주위를 살피자 사방이 조용해졌다. 그는 잠시 그곳에 서 있다가 나갔다.

남자가 자리를 뜨자마자 극장 안은 다시 난리통이 되었다. 다른 관람객들은 입을 다물고 있었지만 나는 일어나서 짜증을 내며 경찰을 부르겠다고 했다. 아이들은 "경찰

만세, 만만세"를 노래처럼 흥얼거리기 시작했다. 나는 극장을 나왔다.

다음 날은 토요일이었는데 그 깡패 같은 자식들이 벌써 해변에 나와 있었다. 눈치를 보아 하니 내가 도착하기를 기다리고 있었던 것 같았다. 키득거리면서 나를 향해 손가락질을 했다. 나는 그들 중 몇몇이 나를 쳐다보면서 로사리아와 속닥이는 것을 보았다. 니나 남편에게 한마디 할까 생각해보았지만 잠시나마 나폴리 사람들의 사고방식에 영향을 받았다는 생각에 이내 수치심을 느꼈다. 두 시쯤 나는 북적대는 인파와 비치하우스에서 나오는 시끄러운 음악 소리에 지쳐 소지품을 챙겨 자리에서 일어났다.

소나무 숲에는 아무도 없었다. 얼마 지나지 않아 누군가 나를 따라오는 것 같은 느낌이 들었다. 순간 내 등을 내려친 솔방울이 떠올라 덜컥 겁이 나서 뛰기 시작했다. 시끄러운 소음과 사람들의 목소리와 숨넘어갈 것처럼 낄낄대며 웃는 소리가 점점 커졌다. 귀청이 찢어질 것 같은 매미 소리도, 무더위에 녹아내리는 송진 냄새도 이제는 좋게 느껴지지 않았다. 걱정스런 마음에 장신구를 달아주듯 불안감을 오히려 더 강조하는 것 같았다. 나는 속도를 늦췄다. 두려움이 사라져서가 아니라 일말의 자존심 때문이었다.

숙소에 오니 몸이 좋지 않았다. 식은땀이 나고 갑자기 열이 오르더니 숨이 막혔다. 나는 소파에 누워 천천히 안정을 되찾았다. 나는 정신을 차리고 청소를 했다.

인형은 여전히 알몸으로 욕조에 머리를 박고 있었다. 나는 인형에게 옷을 입혔다. 이제는 인형 배에서 물이 나오지 않았다. 순간 바싹 마른 구멍 같은 인형의 자궁을 떠올렸다. 생각을 정리하고 상황을 제대로 파악해야 했다.

문득 불분명한 행동이 그보다 더 불분명한 일련의 행동을 초래한다는 사실을 깨달았다. 지금의 상황에서 중요한 것은 꼬리에 꼬리를 물고 이어지는 불분명한 행동의 사슬을 끊어내는 일이다. 인형을 되찾았다면 엘레나는 정말 기뻐했을 것이다. 아니다. 그렇지 않았을 수도 있다. 아이들은 해달라고 하는 것만 원하는 것이 아니다. 요구 사항을 충족해줘도 말로 표현하지 않은 불만 사항들 때문에 오히려 더 힘들어한다.

나는 샤워를 하고 몸을 닦으면서 거울을 바라보았다.

최근 몇 달 동안 내가 가지고 있던 나에 대한 이미지가 갑자기 변한 것 같았다. 젊어지기는커녕 그사이 더 늙은 것 같았다. 살이 빠진 데다 몸이 너무 말라서 볼륨이 하나도 없었고 음모에 흰 털이 섞여 있었다.

나는 밖으로 나가 약국에 가서 체중을 재보았다. 저울에서 내 키와 몸무게가 인쇄되어 나왔다. 전보다 키가 6센티미터나 줄어든 데다 몸무게도 많이 빠졌다. 다시 재봤지만 키도 몸무게도 지난번보다 줄어들었다. 나는 당황해서 약국을 나왔다. 작아진다는 것, 다시 사춘기 소녀가 되고 어린아이가 되어 그 시절을 다시 살아야 한다는 것은 내가 할 수 있는 가장 끔찍한 상상이었다. 나 자신이 좋아지기 시작한 것은 열여덟이 지나서였다. 피렌체에서 공부하기 위해 내 가족과 나폴리를 떠난 때부터였다.

나는 신선한 야자열매와 구운 아몬드, 헤이즐넛 따위를 깨작이며 저녁이 될 때까지 해안을 걸었다. 어느덧 상점 조명이 켜지고 흑인 청년들이 길거리에 물건을 펼쳐놓기 시작했다. 길게 불을 뱉어내는 곡예사와 형형색색 풍선을 매듭지어 동물 모양으로 만드는 피에로 곁으로 어린 관객들이 모여들면서 토요일 저녁답게 인파가 만들어지기 시작했다. 광장에서 댄스파티 준비가 한창이었다. 나는 파티가 시작되기를 기다렸다.

나는 춤을 좋아한다. 다른 사람들이 춤추는 모습을 구경하는 것도 좋아한다. 오케스트라가 탱고를 연주하자 나이든 커플끼리 경합하기 시작했다. 다들 춤 솜씨가 훌륭했다. 춤추는 인파 속에는 조반니도 있었다. 그의 스텝과 몸짓에서 팽팽한 긴장감이 느껴졌다. 구경꾼이 늘어나면서 광장 주변으로 사람들이 원을 형성하며 빽빽이 들어찼다. 춤추는 사람이 많아지면서 춤꾼들 간의 경쟁구도는 사라지고 남녀노소 할 것 없이 모두 함께 춤을 추기 시작했다. 예의 바른 손자들은 할머니들과, 아버지들은 열 살배기 딸들과, 나이든 여자들은 동년배 여자들과 춤을 추고 아이들은 아이들끼리, 관광객과 동네 토박이들이 한데 어울려 춤추기 시작했다. 갑자기 조반니가 내 앞에 나타나 춤을 청했다.

나는 조반니와 아는 사이인 나이든 부인에게 가방을 맡기고 그와 춤을 추기 시작했다. 아마 왈츠였던 것 같다. 우리는 춤을 멈추지 않았다. 조반니는 더운 날씨와 별이 빛나는 하늘과 보름달 이야기를 했다. 그때가 홍합철이라는 말도 했다.

기분이 점점 좋아졌다. 조반니는 땀범벅에 긴장한 것 같았지만 계속 춤을 추자고 했다. 그는 나를 정말 다정하게 대해주었고 나는 그런 그에게 장단을 맞춰주었다. 나는 정말 즐거웠다. 광장 가장자리에서 나폴리 사람들이 인파 가운데 모습을 드러냈을 때야 그는 미안하다면서 내 곁을 떠났다.

나는 가방을 찾으러 가다 조반니가 니나와 로사리아에게 예의 바르게 인사하는 모습을 목격했다. 조반니는 토니노에게도 인사했는데 그 태도가 눈에 띄게 고분고분했다. 조반니는 어색한 태도로 엘레나를 쓰다듬어주었다. 엘레나는 엄마 품에 안겨서 제 얼굴보다 두 배는 더 큰 솜사탕을 먹고 있었다. 길었던 인사가 끝난 후에도 조반니는 말 한마디 없이 뻣뻣한 자세로 어정쩡하게 그들 곁에 머물러 있었다. 나폴리 사람들과 함께 있는 것을 자랑스러워하는 것처럼 보였다.

그것으로 그날 저녁은 끝났다고 생각하고 숙소로 돌아가려는데 니나가 로사리아에게 엘레나를 맡기고 남편에게 춤추자고 조르는 모습이 눈에 들어왔다. 나는 니나가 춤추는 모습을 보려고 거기에 더 머물렀다.

니나의 동작에는 자연스럽고 보기 좋은 조화로움이 있었다. 그 조화로움은 품위와는 거리가 먼 사내의 품안에서도 잘 드러났다. 아니 어쩌면 그래서 니나가 더 돋보였는지도 모른다.

순간 누군가 내 팔을 건드렸다. 지노였다. 동물처럼 한쪽 구석에 웅크리고 있다가 갑자기 튀어나온 것이었다. 지노는 내게 춤을 청했다. 나는 말로는 피곤한 데다 너무 덥다고 했지만 갑자기 기분이 좋아져서 그의 손을 잡고 춤을 추기 시작했다.

얼마 지나지 않아 나는 그가 나를 니나와 그녀의 남편이 춤추고 있는 방향으로 이끌려 한다는 사실을 알았다. 지노는 니나가 우리의 모습을 봐주기를 바랐고 나도 그런 그에게 보조를 맞춰주었다. 니나를 흠모하는 남자의 품에 안긴 모습을 그녀에게 보인다는 생각이 싫지 않았다. 하지만 수많은 커플 속에서 니나와 그녀의 남편 근처로 다가가는 것이 거의 불가능했기에 우리는 누가 먼저라 할 것도 없이 계획을 포기했다. 가방을 멘 채였지만 어쩔 수 없다고 생각했다. 그래도 훤칠한 키에 늘씬한 몸매, 햇볕에 그을린 피부와 반짝이는 눈, 헝클어진 머리에 보송보송한 손을 가진 청년과 춤추는 것은 기분 좋은 일이었다.

지노가 가까이 있을 때와 조반니가 가까이 있을 때 느낌이 너무나 달랐다. 지노와 조반니는 육체도 체취도 달랐다. 내게는 그 차이가 시간의 간극처럼 느껴졌다. 그날 저녁 광장에서의 시간이 둘로 분리되어 마치 마법처럼 두 무대에서 춤을 추면서 각기 다른 시간대를 동시에 경험하고 있는 느낌이었다.

음악이 멈추고 내가 피곤하다고 하자 지노는 나를 집까지 바래다주겠다고 했다. 우리는 그의 시험과 대학에 대해서 이야기를 나누었다. 현관문 앞까지 다 와서도 지노가 나와 헤어지기 힘들어하는 것 같아 내가 물었다.

"잠깐 올라갈래요?"

지노는 민망해하면서 고개를 가로저었다.

"니나에게 예쁜 선물을 해주셨더군요."

지노가 말했다. 나는 둘이 만났을 뿐 아니라 니나가 지노에게 내가 준 브로치까지 보여주었다는 사실에 기분이 상했다. 그가 덧붙였다.

"교수님의 친절에 너무 행복해했어요."

나는 내뱉듯이 나도 기쁘다고 했다. 지노가 말했다.

"부탁드릴 것이 있어요."

"뭔데요?"

지노는 내 어깨 너머로 시선을 고정하고 나를 똑바로 바라보지 못했다.

"니나가 혹시 교수님께서 몇 시간 동안만 저희에게 숙소를 빌려주실 수 있는지 알고 싶어 해요."

순간 나는 마음이 불편해졌다. 갑작스러운 불쾌감이 독처럼 핏줄을 따라 온몸에 퍼져나갔다. 나는 혹시 지노가 니나의 요청이 아니라 자신의 욕망을 숨기고 있는 것이 아닌가 해서 그의 얼굴을 똑바로 바라보았다. 나는 퉁명스럽게 대답했다.

"내가 직접 이야기하고 싶어 한다고 니나에게 전해줘요."

"언제요?"

"가능하면 빨리요."

"남편이 내일 떠나니까 그전에는 불가능해요."

"월요일 오전도 괜찮아요."

지노는 입을 다물었다. 그는 안절부절못하면서 좀처럼

자리를 뜨지 못했다.

"화가 나셨나요?"

"아니요."

"표정이 안 좋으신데요."

나는 퉁명스레 대답했다.

"지노. 내 숙소를 관리하는 남자가 니나를 알아요. 니나의 남편과도 암암리에 거래를 하는 사이고요."

지노는 경멸감을 드러내면서 삐딱한 미소를 지었다.

"조반니요? 그 사람은 신경 쓸 가치도 없어요. 10유로만 쥐어주면 입을 다물 거예요."

그 말에 나는 화를 참지 못하고 쏘아붙였다.

"대체 왜 하필 내게 이런 부탁을 하는 거지요?"

"니나가 그러기를 원했어요."

24

좀처럼 잠이 오지 않았다. 딸들에게 전화를 할까 생각해보았다. 딸들은 항상 내 머릿속 한구석에 자리를 잡고 있었지만 요 며칠 동안에 일어난 혼란스러운 일 때문에 자꾸만 잊혀졌다. 결국 그날 밤도 딸들에게 전화하려던 마음을 접었다. 보나마나 자기들이 필요한 것만 늘어놓을 거라고 생각하면서 나는 한숨을 내쉬었다. 마르타는 분명 비앙카 언니가 보내달라고 한 노트만 보내주고 자기가 부탁한 것은—정확히 뭘 부탁했는지는 모르지만 항상 그런 게 있었다—잊어버렸다고 할 것이다.

둘은 어렸을 때부터 항상 그랬다. 평생을 내가 자기 언니나 동생에게 더 많은 것을 해주지 않을까 하는 의심을 갖고 살아왔다. 예전에는 그 대상이 장난감이나 과자였다. 심지어는 내가 누구한테 더 많이 뽀뽀해주는지까지 신경을 썼다. 조금 커서부터는 옷이며 신발, 오토바이, 자동차 등 돈 드는 것에 대해서는 무조건 신경전을 벌이기 시작했다.

딸들에게는 엄마에 대한 원망을 몰래 적어두는 장부 같은 것이 있었다. 그렇기 때문에 나는 정확하게 한 아이에게 베푼 만큼만 다른 아이에게 베풀도록 주의를 기울였다. 딸들은 어렸을 때부터 내 애정이 언제 사라질지 모른다고 생각했고 그 결과 내가 딸들을 위해 해주는 구체적인 일이나 딸들에게 주는 물건에 따라 내 애정을 평가했다. 비앙카와 마르타 눈에는 내가 죽으면 서로 싸워서 쟁취해야 할 물질적인 유산으로만 보이는 것 같다는 생각도 가끔 들었다.

나는 내가 물려준 외모는 물론 얼마 되지 않은 돈과 자산 분배에 대해서까지 딸들의 불만이 반복되는 것을 원치 않았다. 나는 딸들의 불평불만을 듣고 싶지 않았다. 마음만 먹으면 딸들이 먼저 연락할 수도 있지 않은가 하는 생각도 들었다. 전화가 울리지 않는다는 것은 분명히 내게 급히 부탁할 만한 일이 없기 때문일 것이다. 나는 침대에서 뒤척였다. 잠은 안 오고 화가 났다.

딸들의 요구는 결국 들어줄 수밖에 없다. 자식이니까. 사춘기가 끝나갈 무렵 비앙카와 마르타는 치열한 다툼 끝에 자기들끼리 순서를 정한 뒤 번갈아가면서 내게 집을 비워달라고 했다. 비앙카와 마르타는 남자친구들과 밀회를 즐겼고 나는 그 사실을 뻔히 알고도 눈감아주었다. 위험에 노출된 채 수많은 불편함을 감수하면서 자동차나 어두운 거리나 잔디밭에서 섹스를 하는 것보다는 집에서 관계를 가지는 편이 더 낫다고 생각했기 때문이다. 그래서 나는 울적한 기분으로 도서관이나 영화관에 가거나 친구

집에 자러 가기도 했다.

그렇다고 니나까지 내게 이래도 되는 걸까. 니나는 8월의 해변을 상징하는 이미지일 뿐이다. 몇 번 시선을 교환하고 몇 마디 말을 주고받은 관계일 뿐이다. 백번 양보해도 내 경솔한 행동의 희생자 이상의 의미는 없다. 물론 여기에는 그녀의 딸 엘레나도 포함된다. 그런 그녀에게 대체 내가 왜 내 숙소를 내어주어야 한단 말인가. 감히 어떻게 그런 생각을 했단 말인가.

나는 자리에서 일어나 집 안을 서성이다 테라스로 갔다. 밤이 깊었는데도 아직 사방에서 왁자지껄한 축제 소리가 메아리쳐 들려왔다. 갑자기 니나와 나를 잇는 팽팽한 끈의 존재가 분명하게 느껴졌다. 거의 모르는 사이나 마찬가지인데 우리 사이의 유대감은 강해지고 있었다. 사실 니나는 내가 집 열쇠를 내어주지 않기를 바라는지도 모른다. 내 거절을 핑계 삼아 자신의 초조한 마음 상태를 드러내는 것을 피하려는 것일 수도 있다. 아니다. 어쩌면 내가 정말 집 열쇠를 내어주기를 바라는 것일 수도 있다. 그런 내 행동을 자신의 무모한 도피에 대한, 예정된 미래와는 다른 길을 가도 좋다는 허락으로 받아들이고 싶어서 말이다.

확실한 것은 니나가 제멋대로 나를 경험 많고 지혜롭고 반항적인 사람이라고 생각하고 나의 모든 능력을 총동원해 자기를 도와주기를 바란다는 사실이다. 니나는 내게 자기를 돌봐달라고 요구하고 있는 것이다. 열쇠를 내어주든 내어주지 않든 나는 그녀의 선택에 영향을 미칠 것이다. 니나는 내가 그 모든 과정에 함께하면서 그녀가 내리게 될 모든 결정을 지지해주기를 바라는 것이다.

바다도 동네도 고요 속에 잠길 즈음 나는 니나가 단순히 몇 시간 동안 지노와 내 집에서 사랑을 나누게 해달라고 요구하는 것이 아니라는 것을 깨달았다. 니나는 자신의 인생을 돌봐달라고 내게 자신을 맡기려는 것이다. 일정한 속도로 테라스를 훑고 가는 등대 불빛이 거슬려 나는 자리에서 일어나 집 안으로 들어갔다.

나는 부엌에서 포도를 먹었다. 나니는 탁자 위에 놓여 있었다. 전보다 더 깨끗하고 새것처럼 보였지만 이해할 수 없는 표정을 짓고 있었다. 인형의 표정은 토후보후*를 연상시켰다. 명확한 질서와 진실의 빛 비춤이 부재한 혼

* 그리스어로 혼돈과 공허를 뜻함. 창세기에서 하나님이 세상을 창조하시기 전의 무질서한 상태를 가리키는 용어.

돈을 나타내는 것 같았다.

니나는 해변에서 언제 나를 선택한 걸까. 나는 어떻게 니나의 인생에 들어가게 된 걸까. 확실한 것은 그것이 떠밀리듯 혼란스러운 가운데 일어난 일이라는 것이다. 나는 니나에게 완벽한 어머니이자 잘 키운 딸의 역할을 부여해 놓고서 엘레나의 인형을 빼앗아 그녀의 인생을 복잡하게 만들어 버렸다.

니나는 내가 자유분방하고 독립적이고 섬세하고 용감하고 그늘이 없는 여인이라고 생각했음에 틀림없다. 그런데 정작 나는 니나가 절박한 심정으로 내게 건넨 질문에 답을 회피하며 계산된 대답을 내놓았다. 대체 왜, 무슨 권리로 그랬던 걸까.

우리의 유사성은 피상적인 것이었다. 니나는 20년 전의 나보다 감내해야 할 위험이 더 컸다. 소녀 시절부터 나는 자존감이 높고 욕심이 많았다. 매달리는 사람을 뿌리치듯 내 스스로의 의지로 가족들에게서 떨어져 나왔다. 내게 그럴 권리가 있고 적합한 때라고 판단했을 때 나는 내 남편과 딸들 곁을 떠났다. 잔니는 당연히 절망에 빠졌지만 나를 괴롭히지는 않았다.

잔니는 타인의 사정에 관심을 가질 줄 아는 사람이었다. 아이들 없이 지낸 3년 동안 나는 혼자가 아니었다. 내 곁에는 언제나 하디가 있었다. 나는 명망 높은 하디 교수의 사랑을 받았다. 성별에 상관없이 나를 지지해주는 친구들로 구성된 작은 세계 속에 살고 있는 것 같았다. 논쟁을 벌일 때조차 나와 같은 문화를 공유하고 나의 야망과 우울한 감정을 이해해주는 그런 사람들이었다.

뱃속 깊숙한 곳에서 나를 억누르는 무게감을 도저히 감당할 수 없을 지경이 되어서야 나는 비앙카와 마르타 곁으로 돌아왔다. 그후 내 친구들 중 몇몇은 조용히 내 삶에서 자취를 감추었고 나는 몇몇 기회를 영원히 잃었으며 내 전남편은 이제는 자기가 도망갈 차례라고 결정하고 캐나다로 떠나버렸다. 하지만 그들 가운데 나를 상종 못 할 사람으로 낙인찍고 쫓아내려 했던 사람은 아무도 없었다.

니나는 달랐다. 나는 남편과의 관계를 정리하기 전에 어느 정도 방어막을 쌓아놓았지만 니나에게는 방어막이 될 만한 것이 하나도 없었다. 그동안 세상은 좋아지기는커녕 여성에게 더 불리하게 변했다. 니나 스스로 과거에 내가 했던 것에 비하면 아무것도 아닌 일 때문에 남편에게 목숨을 잃을 뻔했다고 하지 않았나.

나는 인형을 침실로 가져갔다. 인형에게 기댈 쿠션을 마련해준 다음 오래전 남부 사람들이 하던 것처럼 두 팔을 벌린 자세로 침대 위에 앉혀놓고 그 옆에 누웠다. 문득 브랜다 생각이 났다. 브랜다는 먼 옛날 칼라브리아에서 고작 몇 시간 동안 만났던 영국 여자다. 갑자기 니나가 내게 부여하고자 하는 역할이 과거 내가 브랜다에게 부여했던 역할과 다르지 않음을 깨달았다.

브랜다가 레지오 칼라브리아의 고속도로에 나타났을 때 나는 그녀에게 내가 가지고 싶었던 능력을 부여했다. 브랜다는 아마도 그런 내 마음을 알아챘던 것 같았다. 그렇기에 멀리서 소소한 행동으로나마 나를 도와준 것이었다. 덕분에 나는 스스로 내 삶에 대한 책임을 질 수 있게 되었다. 브랜다가 내게 해주었던 일을 나도 니나에게 해줄 수 있다고 생각하면서 불을 껐다.

25

다음 날 아침 나는 늦게 일어나서 아침을 대충 먹었다.

바다에 갈 생각은 일찌감치 접었다. 그날은 일요일이었는데 지난주 일요일에 대한 기억이 너무 안 좋았기 때문이다. 나는 책과 공책을 가지고 테라스에 자리를 잡았다.

나는 현재 작업 진행 상황이 꽤 만족스러웠다. 대학에서 경력을 쌓는 것은 나에게 평생 힘든 일이었다. 특히 최근에는 상황이 더 복잡해졌다. 물론 내 탓이기는 하다. 나이가 들면서 성질이 나빠져 고집이 세지고 걸핏하면 화를 냈으니까. 어쨌든 정황상 급히 연구에 매진해야 했다. 딴 생각할 겨를도 없이 몇 시간이 순식간에 흘렀다. 빛이 비추는 동안 나는 작업을 멈추지 않았다. 방해가 된 것은 후덥지근한 날씨와 모기뿐이었다.

자정 무렵 TV 드라마를 보는데 휴대폰이 울렸다. 니나의 번호를 알아보고 전화를 받았다. 니나는 다짜고짜 다음 날 열 시에 찾아가도 되느냐고 물었다. 나는 니나에게 집주소를 알려준 뒤 텔레비전을 끄고 잠자리에 들었다.

다음 날 나는 집 열쇠를 복사해줄 사람을 찾기 위해 이른 아침 집을 나섰다. 집에 돌아오니 10시 5분 전이었다. 미처 계단을 다 오르기도 전에 휴대폰이 울렸다. 니나는 열 시까지 가는 것은 불가능하다며 오후 여섯 시까지 가도 되느냐고 물었다.

나는 니나가 오지 않기로 결심했다고 생각하면서 해변에 가기 위해 가방을 챙기다가 그만두기로 했다. 지노를 보고 싶지 않았고 버르장머리 없고 난폭한 나폴리 가족의 사내아이들도 거슬렸다. 나는 샤워를 하고 비키니 차림으로 테라스에 누워 햇볕을 쪼였다.

그날 하루는 샤워를 하고 선탠을 하고 과일을 먹고 공부하는 동안에 느릿느릿 흘러갔다. 가끔 니나 생각이 나서 시계를 보기도 했다. 내가 집까지 오라고 하는 바람에 니나의 상황이 더 복잡해졌을 것이다. 처음에 니나는 내가 지노에게 열쇠를 내어주고 지노와 함께 집을 비워줄 날짜와 시간을 결정할 거라고 생각했을 것이다. 그런데 내가 니나와 직접 이야기하고 싶다고 한 순간부터 니나는 망설이기 시작했을 것이다. 니나는 나를 공범으로 끌어들이고 싶으면서 자기 입으로 직접 말하고 싶지는 않았던 것이다.

오후 다섯 시가 다 되어서 내가 아직 수영복 차림에 젖은 머리로 선탠을 하고 있는데 인터폰이 울렸다. 니나였다. 나는 현관문을 열어준 뒤 문 앞에서 니나가 올라오기를 기다렸다. 니나가 새 모자를 쓰고 숨을 헐떡이면서 나타났다. 나는 니나에게 테라스에서 햇볕을 쬐는 중이었는데 옷을 입을 테니 들어오라고 했지만 니나는 세차게 고개를 저었다. 아이의 막힌 코를 뚫어줄 물약을 사러 약국에 간다는 핑계로 엘레나를 잠시 로사리아에게 맡겼다는 것이다.

니나는 엘레나가 숨을 제대로 못 쉰다고, 항상 물속에 있다 감기가 든 거라고 했다. 몹시 동요된 목소리였다.

"잠깐 좀 앉아봐."

니나는 모자를 고정한 브로치를 뺀 뒤 모자와 브로치를 거실 탁자에 올려놓았다. 나는 흑색 호박 장식과 긴 핀을 바라보면서 내가 준 선물을 사용하고 있다는 것을 보여주기 위해서 니나가 모자를 쓰고 온 것이라고 생각했다.

"집이 좋네."

니나가 말했다.

"정말 열쇠를 원해?"

"언니가 괜찮으면."

우리는 소파에 함께 앉았다. 나는 니나가 내게 그런 부탁을 해서 놀랐다고 했다. 전에 니나 스스로 남편과 잘 지내고 있으며 지노와 있었던 일은 불장난일 뿐이라고 말하지 않았느냐고 상냥한 어조로 그때의 기억을 상기시켰다. 니나는 불편한 표정으로 내 말을 모두 인정했다. 나는 미소를 지었다.

"그런데 왜?"

"더는 못 참겠어."

나는 니나의 시선을 찾았고 니나는 그런 내 시선을 피하지 않았다. 나는 좋다고 말하고 가방에서 열쇠를 꺼내 탁자 위에 놓인 브로치와 모자 옆에 올려놓았다.

니나는 열쇠를 바라보았지만 행복해 보이지 않았다.

"나를 어떻게 생각해?"

니나가 말했다.

"이러다 곤경에 처할 거라고 생각해. 다시 공부를 시작해야 해, 니나. 대학을 졸업하고 직장도 찾아야 해."

나도 모르게 학생들에게 말할 때의 말투가 나왔다.

니나는 실망스러운 표정을 지었다.

"난 아는 게 하나도 없고 아무런 가치도 없어. 임신하고 아이를 낳았지만 내 몸 안이 어떻게 생겼는지도 잘 몰라. 확실한 것은 도망치고 싶은 욕망뿐이야."

나는 한숨을 내쉬었다.

"하고 싶은 대로 해."

"언니가 도와줄 거야?"

"도와주고 있잖아."

"언니는 어디에 살아?"

"피렌체."

니나는 언제나처럼 신경질적으로 웃었다.

"언니 보러 갈게."

"우리 집 주소를 알려줄게."

니나가 열쇠를 집으려는 순간 내가 자리에서 일어나면서 말했다.

"잠깐만. 줄 게 하나 더 있어."

니나는 불안한 미소를 지으며 나를 바라보았다. 또 다른 선물이 있다고 생각하는 것 같았다. 거실에 돌아와 보니 니나는 입가에 희미한 미소를 띠고 손으로 열쇠를 가지고 놀고 있었다. 미소는 고개를 드는 순간 사라졌다.

"언니가 가져간 거였어?"

니나가 망연자실해서 내뱉었다.

내가 고개를 끄덕이자 니나가 벌떡 일어났다. 손을 데기라도 한 것처럼 열쇠를 탁자에 내려놓았다. 니나가 속삭이듯 말했다.

"대체 왜?"

"모르겠어."

니나가 갑자기 목소리를 높였다.

"온종일 글을 읽고 쓰는 사람이 그걸 몰라?"

"몰라."

니나는 믿을 수 없다는 듯 고개를 가로젓다 목소리를 다시 낮추고 말했다.

"인형을 가지고 있었다니. 내가 어쩔 줄 몰라 하던 기간 내내 인형을 가지고 있었어. 내 딸이 울음을 그치지 않아서 미칠 지경이었는데 언니는 입을 다물고 있었어. 우리를 바라만 보면서 손가락 하나 까딱하지 않았어. 아무것도 하지 않았어."

내가 말했다.

"나는 비뚤어진 엄마거든."

니나는 내 말이 맞다고 했다. 그렇다고, 당신은 비뚤어진 엄마라고 소리 지르며 거칠게 내 손에서 인형을 앗아갔다. 사투리로 그만 가봐야겠다고 혼잣말을 하더니 내게 표준어로 당신을 다시는 보고 싶지 않다고, 당신 같은 사람한테 바라는 것은 아무것도 없다고 악다구니를 내뱉은 뒤 문 쪽으로 갔다.

나는 과장된 몸짓으로 니나에게 호소했다.

"열쇠를 가져가, 니나. 나는 오늘 저녁에 떠날 거야. 이 집은 이달 말까지 비어 있을 테고."

나는 말을 마치고 창문 쪽으로 몸을 돌렸다. 니나가 화가 나서 길길이 날뛰는 것을 바라보고 있기 힘들었다. 나는 중얼거렸다.

"미안해."

문이 닫히는 소리가 들리지 않기에 잠시 니나가 열쇠를 가져가기로 마음먹었나 보다고 생각했다. 그런데 갑자기 등 뒤에서 니나의 인기척이 느껴졌다. 니나는 사투리로 욕설을 내뱉었다. 내 할머니와 내 어머니가 하던 끔찍한 욕이었다.

고개를 돌리려는 찰나 왼쪽 옆구리에 심한 통증을 느꼈다. 불에 덴 것 같은 통증이 순식간에 스쳐 지나갔다. 고개를 숙여보니 브로치 바늘이 배 밖으로 튀어나와 있었다. 갈비뼈 바로 아래 지점이었다. 바늘 끝이 보인 것은 찰나의 순간이었다. 바늘은 니나의 목소리와 뜨거운 입김과 함께 사라졌다. 니나는 브로치를 바닥에 떨어뜨리고 모자와 열쇠도 내버려둔 채 인형만 챙겨들고 현관문을 닫고 도망쳐버렸다.

나는 창문에 한쪽 팔을 짚고 옆구리를 바라보았다. 작은 핏방울은 흘러내리지 않고 피부에 맺혀 있었다. 약간의 한기와 두려움을 느꼈다. 무슨 일이 일어나기를 기다렸지만 아무 일도 일어나지 않았다. 핏방울이 점점 까매지더니 굳어버렸다. 불로 만든 실로 몸을 관통당한 듯한 고통도 희미해졌다.

나는 조심스럽게 소파에 앉았다. 칼에 찔리고도 멀쩡한 수피즘* 수행자처럼 나도 브로치에 옆구리를 찔리고도 아무런 상처를 입지 않았는지도 모른다. 나는 탁자에 놓인 모자와 피부에 앉은 피딱지를 번갈아 바라보았다. 날이 어두워져서 일어나 불을 켰다. 나는 중병에 걸린 환자처럼 조심스럽게 움직이면서 짐을 챙기기 시작했다.

가방을 다 싼 후 옷을 입고 샌들을 신고 머리를 다듬는데 휴대폰이 울렸다. 마르타의 번호를 보고 커다란 만족

* 이슬람교의 신비주의적 경향을 띤 한 종파. 금욕과 고행을 중시하고 청빈한 생활을 이상으로 여긴다.

감을 느끼면서 전화를 받았다. 마르타와 비앙카가 입을 모아 내 귀에 대고 명랑하게 소리 질렀다. 자기들끼리 할 말을 먼저 준비해두었다가 일부러 나폴리 억양이 섞인 내 말투를 흉내 내서 말하기로 한 것 같았다.

"엄마! 뭐 하세요? 왜 통 전화를 안 하셨어요? 죽었는지 살았는지 정도는 알려주셔야 하는 거 아닌가요?"

나는 감정이 복받쳐 오르는 것을 느끼면서 속삭였다.

"엄마는 죽었지만 잘 지낸단다."

악몽 같은 현실에서 자아를 찾는 페란테의 여인들

• 옮긴이의 말

'나쁜 사랑 3부작'은 '나폴리 4부작'으로 세계적인 작가가 되기 전 엘레나 페란테가 써낸 소설들이다. 이 책은 1999년 출간된 그녀의 첫 소설 『성가신 사랑』과 2002년의 『버려진 사랑』, 2006년의 『잃어버린 사랑』으로 구성되어 있다. 중단편이라기에는 길고, 장편이라기에는 짧은 이 세 작품에서도 페란테는 여전히 '여성'의 이야기를 다룬다.

『성가신 사랑』과 『버려진 사랑』과 『잃어버린 사랑』의 주인공들은 각각 델리아와 올가와 레다라는 여성이다. 델리아는 로마에서 활동하는 40대 초반의 만화작가다. 이성과 깊은 관계를 맺지 못하는 미혼녀 델리아는 자신의 삶에 큰 영향을 미쳤던 어머니의 갑작스러운 죽음을 접하고 어머니의 마지막 행적을 찾아 나폴리로 떠난다.

올가는 30대의 평범한 전업주부다. 대학 교수인 남편과 함께 두 남매를 키우면서 남부럽지 않게 살아가던 올가의 삶은 어느 날 갑자기 중년의 위기를 빌미로 이별을 통보한 남편에 의해 산산조각이 난다. 남편이 수년간 자기 몰래 친구의 딸과 관계를 가져왔다는 사실을 알게 된 올가는 남편과 아이들을 중심으로 살아가던 삶의 의미를 잃고 방황한다.

레다는 남편과 헤어진 이혼녀다. 대학교 영어강사로 재직하면서 십 수 년을 오직 두 딸을 키우는 데 바친 레다는 딸들이 캐나다에 있는 남편에게 떠나버린 후 오랜 중압감에서 벗어나 해변으로 휴가를 떠난다. 하지만 그녀가 찾은 해변은 평온과는 거리가 멀다. 그곳에서 레다는 나폴리에서 온 소란스러운 대가족을 만나고 가부장적인 남편과 육아의 고통으로 힘겨워하는 젊은 아이 엄마 리나에게 감정을 이입한다.

델리아와 올가와 레다는 나이도 직업도 사는 곳도 다르지만 세 작품을 읽고 나면 동일인물처럼 느껴진다. 꽤나 긴 터울을 두고 발표된 이 세 권의 소설이 원래부터 연작 개념으로 구상되었는지는 확실치 않지만 서로 맞닿아 있는 부분이 상당히 많다. 우선 설정 면에서 세 주인공이 모두 나폴리 태생이고 거칠고 가부장적인 환경이 싫어서 고향을 떠나 살고 있다. 또 주제 면에서도 세 작품은 각기 다른 시점에서 여성의 정체성 찾기를 다룬다. 『성가신 사랑』의 델리아가 딸의 입장에서 어머니와의 관계 속에서 자신의 정체성을 찾아가는 과정이라면 『버려진 사랑』은 아내의 입장에서, 『잃어버린 사랑』은 어머니의 입장에서 자아를 되돌아본다. 세 작품은 독립적인 이야기면서도 여성의 생애를 중심으로 한 '연대기'적 특성을 가진다.

『성가신 사랑』: 뒤틀린 오이디푸스 콤플렉스

페란테의 데뷔작 『성가신 사랑』은 그녀의 소설 가운데 유일하게 장르적인 요소가 있다. 어머니의 갑작스러운 죽음과 의미를 알 수 없는 전화, 사라진 여행 가방과 어울리지 않는 속옷 등 소설의 전반부는 미스터리한 요소들로 가득하다. 어린 시절부터 매력적인 어머니 아말리아에게 동경심과 열등감을 동시에 느껴왔고 그런 어머니에게 버림받을지도 모른다는 두려움 속에 살아왔던 델리아는 과거의 파편적인 기억에 의존해 어머니가 극단적인 선택을

하게 된 원인을 찾으려 한다. 그녀는 어머니의 애인이었던 카세르타가 젊은 시절 어머니와 바람을 피웠다는 이유로 델리아의 아버지와 삼촌에게 처절하게 짓밟혔던 일에 앙심을 품고 어머니를 죽음으로 몰고 갔다고 생각하지만 소설의 결말부에 이르러서는 기억 속에 묻혀 있던 충격적인 진실을 마주한다.

어린 시절 델리아가 목격했다고 생각했던 카세르타와 아말리아의 외도 장면은 사실 카세르타의 아버지에게 성추행을 당한 자신의 경험이었다. 어머니를 너무나도 사랑한 나머지 자신과 어머니를 동일시하던 어린 델리아는 혼란 속에서 혹은 고의로 아버지에게 자신이 당한 일을 카세르타와 아말리아가 저지른 일로 일러바친 것이다. 이렇게 가해자와 피해자가 전복이 되고 델리아는 자신의 자아를 버리면서까지 어머니와 똑같아지고 싶어 했던 과거의 기억을 되찾는다.

『성가신 사랑』의 주제는 '나쁜 사랑 3부작' 중에서 가장 낯설게 느껴지기도 한다. 버림받은 아내나 어머니로서 여성이 겪어야 하는 고충은 익숙한 주제이지만 어머니에 대한 딸의 집착에 가까운, 그렇기 때문에 괴롭고 성가신 사랑을 다룬 문학 작품은 상대적으로 많지 않기 때문일 것이다.

소설 속의 어머니에 대한 딸의 사랑은 버림받을지도 모른다는 두려움과 모성애에 대한 불신과 어머니의 죽음에 대한 죄책감으로 점철된 복합적인 감정이다. 델리아는 아버지의 폭력에 시달리는 어머니에게 동정심을 느끼지만 다른 한편으로는 아버지처럼 어머니의 부정을 의심하고 어머니가 관심을 보이는 모든 남자를 질투한다.

아버지와 어머니에 대한 델리아의 감정은 다분히 이중적이다. 델리아는 아버지를 증오하면서도 어머니에 대한 감정에 대해서는 아버지와 동일한 감정을 느끼고 어머니를 한없이 동경하면서도 그런 어머니를 의심하고 거부한다.

델리아가 묘사하는 아말리아의 이미지 역시 양면적이다. 아말리아는 늙은 노인과 젊은 여인의 이미지를 모두 가지고 있다. 아말리아는 딸 앞에서 다 늘어진 커다란 분홍색 팬티를 입고 물렁한 살과 축 처진 뱃살을 드러내는 예순세 살의 노인이지만 나이에 비해서 믿기 힘들 정도로 젊게 보이는 올리브빛이 감도는 늘씬한 다리에 야한 브래지어를 입고 다닌다. 집에서는 누더기 같은 옷을 걸친 채 재봉질에 몰두하지만 밖에서는 주변 사내들과 웃고 떠들고 농담을 하면서 온 몸으로 주체할 수 없는 매력을 발산한다. 아말리아의 매력은 의도한 것이 아니다. 그녀의 매력은 일종의 '원죄'처럼 평생 그녀를 쫓아다닌다.

> 내 어머니의 몸은 절제를 몰랐다. 어머니의 엉덩이는 주변 사내들의 엉덩이 쪽으로 벌어졌고 다리와 배는 어머니 앞에 앉아 있는 사내의 무릎이나 어깨를 향해 기울어졌다. 아니면 그 반대였는지도 모른다. 정육점이나 햄 가게 진열장 위에 매달아놓은 죽은 벌레가 잔뜩 달린 누렇고 끈적끈적한 종이에 파리가 꼬이듯 사내들이 어머니의 몸에 달라붙었던 것인지도 모른다. 내가 아무리 발로 차고 팔꿈치로 밀어내 보아도 사내들을 밀어낼 수 없었다.(『성가신 사랑』, 98쪽)

델리아는 평생을 그런 매력적인 어머니에게 버림받을지도 모른다는 불안감에 시달린다. 어린 시절 그녀는 어머니가 자신을 떠날 거라는 두려움을 두려움으로 이기기 위해 일부러 어두운 창고에 틀어박혀서 어머니를 기다린다. 성인이 된 후에도 자신을 찾아오는 길에 어머니에게 무슨 일이 생길까봐 두려워한다. 결국 그녀의 두려움은 현실이 된다.

『성가신 사랑』에서의 모녀 관계는 뒤틀린 오이디푸스 콤플렉스를 연상시킨다. 아들이 동성인 아버지에게는 적대적이지만 이성인 어머니에게는 무의식적인 성적 애착을 보이는 오이디푸스 콤플렉스와는 달리 델리아는 동성인 어머니에 대한 사랑이 너무 큰 나머지 이성인 아버지를 적대시한다.

『성가신 사랑』에서의 델리아와 아말리아의 관계는 심리학적 분석의 대상으로 삼을 정도로 흥미롭다. 델리아는 남근기를 극복하지 못한 것처럼 어머니에 대한 집착을 버리지 못한다. 실제 어린 시절 그녀는 어머니를 너무나 사랑해서 분리장애를 겪는 것처럼 어머니와 자신을 동일시하고 이로 인해 비극적인 결과를 낳는다.

페란테는 그런 델리아의 감정을 격정적으로 묘사한다. 아말리아와 완벽하게 닮고 싶은 욕구를 충족하지 못한 채 성인이 된 델리아는 그 '미완의 유사성'이 힘들어 차라리 어머니와 관련된 모든 것을 지워버리기를 원한다.

나는 어머니와 관련된 것이라면 내 내면 가장 깊은 곳에 뿌리내린 것까지 모두 지워내고 싶었다. 나는 내게서 어머니의 몸짓과 말투를 지워내려 했다. (…) 어머니의 호흡마저 닮고 싶지 않았다. 어머니에게서 떨어져 나와 온전히 내가 되기 위해 그 모든 것을 새로 만들고 싶었다.

게다가 나는 누군가 내 안에 깊이 뿌리내리는 것을 바라지 않았다. 그렇게 할 의지도 능력도 없었다. 얼마 후면 나는 아이를 가지지 못하게 될 터였다. 그렇게 되면 평생 단 한 번도 어머니와 완전히 한 몸이 되지 못했기 때문에 오히려 어머니에게서 분리되기가 힘들었던 나처럼 누군가가 내게서 분리되는 것이 힘들어 괴로워할 일도 없게 될 것이다. 이 세상에 나 같은 사람은 오직 나밖에 없을 것이다. 나는 어머니의 몸에서 몰래 취한 것에 만족하지 못하고 결국 평생을 홀로 불행하게 살 것이다.(『성가신 사랑』, 122~123쪽)

카세르타의 은신처이자 과거 그의 아버지에게 성추행을 당했던 가게를 찾은 델리아는 그곳에 걸려 있던 아말리아의 푸른 정장을 입고 어머니의 생애 마지막 날의 행적을 그대로 따라 그녀가 자살했던 해안으로 간다. 그곳에서 델리아는 자신의 신분증 사진을 변형시켜 아말리아와 유사하게 만들어놓고 사진 속 여인이 아말리아라고, 자신이 곧 아말리아라고 한다.

이 장면은 무엇을 의미하는 것일까. 자아의 해방을 의미하는 것일까 아니면 와해를 의미하는 것일까. 소설 내내 델리아는 어머니에 대한 끊임없는 죄책감과 열등감에 시달린다. 어린 시절 겪었던 끔찍한 일에 대한 망각은 아마도 델리아에게는 일종의 방어막 역할을 했을 것이다. 나폴리에서 보낸 이틀간의 여정 끝에 델리아는 스스로 그 방어막을 무너뜨리고 어머니를 있는 그대로 받아들이게 된 것일 수도 있다. 아니면 반대로 자신의 자아를 밀어내고 아말리아의 자아를 선택함으로써 어머니의 흔적을 영원히 간직하려는 것인지도 모른다.

『성가신 사랑』은 읽기 쉬운 작품이 아닐 수도 있다. 과거와 현재, 상상과 현실, 거짓과 진실, 의도된 망각과 기억이 뒤섞여 있기 때문에 독자의 집중이 필요한 작품이다. 하지만 흡입력이 떨어지는 것은 아니다. 『성가신 사랑』에는 엘레나 페란테의 다른 작품들과는 다른 날것의 매력이 있다. 아마도 이 소설은 무엇보다도 현존하는 가장 잔혹한 또는 유일한 어머니와 딸의 사랑 이야기일 것이다.

『버려진 사랑』: 버림받은 여인의 한여름 밤의 악몽

『버려진 사랑』은 엘레나 페란테가 『성가신 사랑』으로 등단한 후 발표한 두 번째 작품이다. 어머니를 향한 딸의 집착에 가까운 사랑을 다뤘던 전작에 이어 엘레나 페란테는 여전히 '여성'의 이야기에 주목한다. 『버려진 사랑』은 30대 후반의 평범한 가정주부였던 올가가 자아를 찾는 과정을 보여준다.

평온한 봄날 올가는 남편 마리오에게 버림받는다. 느닷없이 이별을 통보한 남편은 무책임하게 떠나버리고 어린 남매 잔니와 일라리아, 몸집만 커다란 순둥이 셰퍼드 오토를 돌보는 일은 오롯이 올가의 몫이 된다.

올가는 남편이 자신을 떠난 이유를 끊임없이 자문하고 자책하며 서서히 시들어간다. 상실의 트라우마는 올가의 성격을 날카롭게 만들고 그녀의 외모마저 흉측하게 변형시킨다. 그녀는 남편이 자신의 모든 것을 앗아가 버렸다고 생각한다. 기본적인 품위와 여성으로서 자존감마저 가져갔다고 생각한다. 올가는 상스러운 말을 서슴없이 내뱉고 이유 없이 공격적인 태도를 보이며 주변사람들에게서 고립되어간다.

올가는 또한 자기 자신을 어린 시절 기억에 각인되어 있던 인물과 동일시하기 시작한다. 남편에게 버림받고 스스로 목숨을 끊었던 여인은 이름마저 잊혀 동네사람들에게서 '불쌍한 여자'라 불리던 인물이다. 남편을 잃고 소금에 절인 멸치처럼 삐쩍 말라가다 결국은 바다에 몸을 던진 여인의 환영이 절망적인 순간마다 올가의 눈앞에 나타난다.

올가는 어떻게 해서든 '불쌍한 여자'를 멀리하려고 애쓴다. 자신은 '불쌍한 여자'처럼 미치지도 않았고 그녀처럼 한 남자에게 목매지도 않았고 그녀만큼 절망하지도 않았다고 되뇐다. 그런데도 '불쌍한 여자'의 환영은 좀처럼 사라지지 않는다.

남편이 떠난 후에 엉망이 된 것은 올가의 정신 상태뿐만이 아니다. 그녀의 일상생활도 엉망이 된다. 남편에게 버림받은 충격이 너무나 커서 올가는 가스 불을 끄거나 고지서를 납부하는 등의 가장 평범한 일조차 제대로 해내지 못하고 아이들을 방치한다. 무더위가 기승을 부리던 8월의 어느 날 올가는 최악의 하루를 맞는다. 전날 밤 올가는 남편 때문에 잃어버린 자존감과 여성성을 되찾고 싶은 마음에 충동적으로 아랫집에 사는 음악가 카라노를 유혹하지만 별 볼일 없는 사내마저 사정에 이르지 못하게 했다는 패배감만 맛본 채 잠이 들고 만다. 그리고 찾아온 다음 날 그녀는 악몽 같은 하루를 경험한다.

잔니는 아프고 오토는 죽어가고 현관문 자물쇠는 열리지 않는 데다 설상가상으로 전화까지 고장나는 바람에 올가는 사실상 자신의 집에 감금되는 지경에 이른다. 정상적인 판단이 불가능해진 상태에서 올가의 일상은 지옥이 된다. 그 지옥을 묘사하는 페란테의 필력은 가히 폭발적이다.

일라리아가 멍하게 바라보는 앞에서 나는 열쇠를 입에 대어 보았다. 그러고 나서 입술로 맛을 보고 플라스틱과 금속으로 된 열쇠 냄새를 맡았다. 그런 다음 이빨로 열쇠를 꽉 물고 돌려 보았다. 무방비 상태인 열쇠를 기습 공격이라도 하는 것처럼 갑자기 고개를 확 돌려 억지로 열쇠 위치를 바꿔보려 했다.

'어디 누가 이기나 한번 해보자.'

나는 늘큰하고 짭조름한 맛이 입안에 퍼지는 것을 느끼며 생각했다. 하지만 아무런 효과가 없었다. 아무리 돌려도 꿈쩍 하지 않는 열쇠 때문에 얼굴이 변을 당하는 느낌이었다. 얼굴이 통조림 따개로 따듯 찢겨져 머리와 목구멍의 끈적거리는 내부가 적나라하게 드러나면서 이빨이 코뼈와 눈썹 하나와 눈 한쪽을 줄줄이 매달고 통째로 머리에서 쏟아져 내리는 느낌이었다.

나는 얼른 열쇠를 입에서 빼냈다. 얼굴이 칼로 껍질을 벗기다 만 오렌지 껍질처럼 한쪽에 대롱대롱 매달린 것 같았다. 이제 무엇을 더 할 수 있을까. 나는 마룻바닥의 차가움을 느끼려고 뒤로 벌러덩 누워 맨다리를 자물쇠판에 갖다 댄 다음 발바닥으로 열쇠를 감쌌다. 나는 사나워 보이는 주둥이처럼 튀어나온 열쇠를 발꿈치 사이에 넣고 다시 돌려보았다. 열쇠는 살짝 돌아가는 듯하다 또다시 나를 절망의 늪으로 빠뜨렸다.(『버려진 사랑』, 279~280쪽)

일관성을 유지하면서 인간으로서의 품위를 지키며 어떻게든 일상을 살아가려던 노력이 한계에 달한 순간에 폭발하는 올가의 분노와 격렬한 감정을 페란테는 가차 없이 그린다.

절망과 좌절의 순간 아이들의 존재는 올가에게 전혀 도움이 되지 않는다. 아이들은 사악한 요정처럼—실제 올가는 자신의 화장을 따라 한 일라리아의 모습에서 어린 시절 어머니에게 들었던 늙은 난쟁이 노파들을 떠올리기도 한다—집 안을 어지럽히고 올가의 말에 사사건건 말대꾸를 하면서 올가의 마음을 헤집어놓는다. 올가는 익숙하지 않은 적나라한 수사법으로 모성에 대한 절망감과 혐오감을 표현한다.

나는 내 아이들이 쉴 새 없이 씹어대는 음식물에 지나지 않았다.

'나는 살아 있는 물질로 만든 음식물이다. 살아 숨 쉬는 재료를 끊임없이 뒤섞어 부드럽게 만들어놓은 음식에 지나지 않는다. 내가 낳은 두 흡혈귀는 위액 냄새를 풍기면서 그런 내 몸을 게걸스럽게 먹어치우고 있다.'

수유는 혐오스러운 짐승 같은 행위다. 이유식에서 나는 미지근하고 들큼한 냄새는 또 어떤가. 아무리 씻어도 찌든 엄마 냄새는 지워지지 않았다.

가끔 마리오는 내게 몸을 딱 붙이고 잠결에 내 몸을 취하곤 했다. 그 역시 일에 지쳐 아무런 감정 없이 나를 안았다. 그는 우유와 쿠키와 시리얼 맛이 나는, 거의 의식을 잃은 내 몸을 집요하게 파고들었다. 그럴 때면 미처 눈치챌 틈도 없이 남편의 절망이 내 절망과 겹쳐졌다. 내 몸뚱이는 근친상간의 대상이었다. 나는 잔니가 토한 냄새 때문에 머리가 멍해져서 생각했다. 그에게 나는 범할 수 있는 어머니의 몸뚱어리일 뿐 연인이 아니었다.

마리오가 사랑하기에 적합한 대상을 다른 곳에서 찾기 시작한 것도 그때부터였을 것이다. 그는 죄책감을 피하고 싶어서 그렇게 했을 것이다. 그래서 그렇게 우울해하며 한숨을 내쉬었을 것이다.(『버려진 사랑』, 176~177쪽)

하지만 올가는 '불쌍한 여자'로 상징되는 운명 순응적인 인물과는 다르다. 올가는 끔찍한 현실에 대한 부정과 분노, 자기 비애와 타협, 우울함과 수긍 단계를 거쳐 결국에는 평온함을 되찾는다. 서면 인터뷰와 수필 등을 모은 『라 프란투말리아』에서 페란테는 올가에 대해서 이렇게 말한다.

"올가는 버림받았다는 상처 때문에 부서지지 않고 대응할 줄 아는 현대 여성입니다. 저는 제 소설의 등장인물들이 자신이 처한 상황에 대해서 어떻게 반응하고 어떻게 견뎌내는지에 주목합니다. 그들이 어떻게 죽음에 대항하고 어떻게 고통을 감내하는 법을 배우는지, 이들이 역경 끝에 다시 삶을 영위하기 위해 어떤 전략을 짜고 무엇을 가장하는지가 제 관심사입니다."

실제로 서서히 나락을 향해 추락하는 중에도 올가는 자신의 감정 변화를 명확하게 인지하는 모습을 보인다. 격정적인 감정을 주체하지 못하면서도 타자화된 시선으로 자신을 바라보고 자신의 증상을 인지하면서 자신의 퇴행적인 모습에 맞서고자 한다.

고통스러울지언정 문제의 본질을 파헤치려는 올가의 태도는 마리오의 피상적인 태도와는 확연히 구분된다. 자신을 왜 더 이상 사랑하지 않는지 묻는 남편에게 올가는 이렇게 대답한다.

"정말로 나를 사랑하지 않아?"

"응."

"왜? 내가 당신을 속여서? 당신 곁을 떠나서? 당신에게 모욕을 줘서?"

"아니. 당신이 나를 속이고 모욕했을 때도, 당신에게서 버림받았을 때도 나는 당신을 너무나 사랑했어. 함께했던 그 어느 때보다 당신을 원했어."

"그런데?"

"내가 당신을 사랑하지 않는 건 당신이 나를 배신한 이유가 공허함 때문이라고 해서야. 당신은 공허함 속에 떨어졌다고 했지. 모든 것이 무의미한 공허함 속에 빠졌다고. 하지만 그건 사실이 아니었어."

"사실이었어."

"아니. 이제 나는 공허함이 뭔지 알아. 그곳에서 다시 표면으로 떠오르는 것이 무슨 의미인지도 알고. 당신은 아니야. 당신은 몰라. 당신은 고작 공허함의 심연 속을 들여다봤을 뿐이야. 그러고는 겁이 나서 그 구멍을 카를라의 몸으로 막은 거야."(『버려진 사랑』, 364~365쪽)

그녀는 마리오와는 달리 심연의 중심으로 몸을 내던져

절박한 몸부림 끝에 수면 위로 다시 떠올랐기 때문에 이별 전의 평온함을 되찾을 수 있었던 것이다. 올가는 괴로움을 이겨내고 아내나 어머니로서가 아닌 독립적인 여성으로서의 자아를 되찾는다. 그녀는 아랫집 카라노의 수줍지만 헌신적인 구애를 받아들이고 둘은 오랫동안 평온한 사랑을 나눈다.

『잃어버린 사랑』: 모성애의 어두운 그림자

'나쁜 사랑 3부작'의 마지막 작품 『잃어버린 사랑』은 어머니가 된다는 것이 얼마나 어려운지, 자식과의 관계가 얼마나 복잡한 것인지를 다룬다. 주인공 레다는 마흔여덟 번째 생일을 앞두고 있는 대학교 영어강사다. 그녀는 나폴리 출신이지만 대학교 진학을 위해 고향을 떠나 피렌체에서 살았다. 젊은 나이에 결혼해서 마르타와 비앙카라는 두 딸을 낳지만 남편과 이혼한다. 레다는 딸들이 아직 어릴 때 자기 자신을 찾고 싶다는 명분하에 가족을 떠났다가 3년 만에 아이들 곁으로 돌아와 딸들을 키우는 데 최선을 다한다. 그런데도 두 딸은 어머니 곁이 아닌 아버지가 있는 캐나다를 삶의 터전으로 선택한다.

『잃어버린 사랑』은 구조적으로 흥미롭다. 독자는 소설을 끝까지 읽어야만 소설의 시작을 이해할 수 있다. 즉 소설의 시작이 실질적으로는 소설의 결말이 되는 구조다. 소설은 여름휴가를 마치고 집으로 돌아오던 레다의 자동차 사고로 시작한다. 다행히 크게 다치지는 않았지만 그녀의 옆구리에는 사고와는 관련이 없는 것으로 보이는 의문의 상처가 발견되고 그 상처의 원인은 소설의 결말 부분에서 밝혀진다.

소설은 레다가 사고나기 전 여름휴가 동안 있었던 일을 회상하는 방식으로 진행된다. 이미 플래시백 시점으로 진행되는 레다의 서술 사이에 그보다 더 먼 과거에 대한 기억이 중간중간 삽입되는 형식이다. 레다는 소란스러운 나폴리 가족을 보면서 그만큼 요란했던 자신의 가족을 연상한다. 니나가 딸 엘레나와 인형 나니와 놀아주는 모습을 보면서 자신의 어머니와 딸들에 얽힌 기억들을 떠올린다. 레다는 틈만 나면 자기를 버리고 도망쳐버리겠다고 위협하던 어머니와 어느 때부터인가 자신의 관심을 탐탁지 않게 생각하는 딸들과의 관계를 해변에서 만난 모녀의 평화로운 모습과 비교하며 질투심에 가까운 부러움을 느낀다.

하지만 레다가 자신의 처지나 과거에 대해 깊은 사유를 하는 것은 아니다. 예컨대 레다는 『버려진 사랑』의 올가처럼 자신이 처한 상황과 심리를 잔혹하다 싶을 정도로 해부하지는 않는다. 페란테는 담담한 어조로 레다의 눈에 비치는 광경과 그녀의 기억을 들려줌으로써 자신이 원하는 주제에 대해 생각해보도록 독자를 자연스럽게 유도한다.

『잃어버린 사랑』의 중심에는 인형 나니의 실종 또는 도난 사건이 있다. 레다는 충동적으로 해변에 버려진 나니를 훔친다. 페란테는 그 이유를 명확하게 설명하지 않는다. 레다 스스로 자신이 왜 그런 짓을 했는지 모르겠다고 한다. 단지 인형 안에 누구에게도 보이고 싶지 않았던 자신의 가장 어두운 면이 숨겨져 있는 것 같은 막연한 느낌만을 가질 뿐이다.

애초에 레다가 나니에게 관심을 가지게 된 것은 23세의 젊은 엄마 니나와 그녀의 세 살배기 딸 엘레나 때문이다. 레다는 니나와 엘레나의 관계에서 자신이 딸로서도 경험하지 못하고 엄마로서도 해주지 못했던 이상적인 모녀상을 보고 부러움과 질투를 느낀다.

젊은 여인은 원래도 아름다웠지만 어머니로서 뭔가 특별한 면이 있었다. 오직 딸만 바라보고 사는 것 같았다.(『잃어버린 사랑』, 25쪽)

인형을 훔친 레다의 심리 이면에는 너무나도 완벽하게 보이는 모녀 관계를 시험해보고 싶은 욕망도 있었을 것이다. 실제 인형이 사라진 후 엘레나는 퇴행적인 모습을 보인다. 좀처럼 찾지 않던 고무젖꼭지를 입에서 떼지 않고 갓난아이처럼 엄마 품에만 안겨 있으려고 한다. 인형이 없어진 후로 잠시도 쉬지 않고 울고 떼쓰는 엘레나 때문에 지친 니나 역시 그동안 숨겨왔던 감정을 드러낸다. 그제야 니나는 가부장적인 가족들과의 관계에서 오는 스트레스와 어머니 역할에 대한 피로감, 억압적인 남편과 사사건건 자신과 엘레나 사이에 끼어들어서 착한 엄마 노릇을 하려 드는 시누이에 대한 거부감을 드러내며 현실에서 도피하고 싶어 한다.

이 과정에서 레다는 니나에게서 과거의 자신과 똑같은 의구심과 나약함을 보고 동질감을 느낀다. 니나 역시 레다에게서 자신이 이루지 못한 모든 것을 이루어낸 이상적인 여성상을 보고 그녀를 동경하고 의지하게 된다. 과거에 왜 아이들을 떠났느냐는 니나의 물음에 레다는 아이들을 너무나 사랑한 나머지 자기 자신의 자아를 잃어버리는 것 같았기 때문이라고 한다. 그러면 왜 다시 아이들에게 돌아갔느냐는 물음에 그녀는 지금껏 자신이 이루어낸 그 무엇도 딸들과 비교할 수 없다는 사실을 깨달았기 때문이라고 한다.

니나는 그런 레다의 대답을 딸 곁에 머무르라는 것으로 해석하고 안심하지만 레다는 니나에게 자신이 딸들에게 돌아간 것은 결국 자신을 위해서였다고 한다. 혼자일 때보다는 딸들 곁에서 존재의 이유를 느꼈기 때문에 돌아갈 수밖에 없었다는 것이다.

"그렇게 잘 지냈으면서 왜 돌아갔어?"

나는 어휘 선택에 신중을 기울였다.

"내가 창조할 수 있는 것 가운데 딸들과 견줄 만한 것은 아무것도 없다는 사실을 깨달았기 때문이야."

니나는 갑자기 만족스럽게 웃었다.

"그럼 딸들을 사랑해서 돌아간 거네."

"아니. 내가 딸들에게 돌아간 이유는 내가 딸들을 떠났던 이유와 똑같아. 나 자신을 사랑했기 때문이야."

니나의 표정이 다시 어두워졌다.

"그게 무슨 뜻이야?"

"아이들과 함께할 때보다 아이들이 없을 때 내 자신이 더 쓸모없게 느껴지고 더 절망적이었다는 뜻이지."(『잃어버린 사랑』, 215쪽)

『잃어버린 사랑』은 모두가 당연히 따뜻하고 아름다워야 한다고 생각하는 모성애의 어두운 면을 다룬다. 어머니라면 누구나 모성애를 느껴야 하는 것일까. 그것은 예외를 허용할 수 없는 보편적인 진리일까. 엘레나 페란테가 묘사하는 모성애는 결코 아름답기만 한 감정이 아니다. 레다는 자신이 아끼던 인형을 딸 비앙카가 사인펜으로 지저분하게 칠해놓은 것을 보고 딸이 보는 앞에서 인형을 도로에 내던져 버리고 그 인형이 자동차 바퀴 아래 무참히 짓밟히는 광경을 딸과 함께 바라본다. 레다는 스트레스를 이기지 못하고 아이에게 폭력성을 드러내고 아이 면전에서 유리창이 부서질 정도로 세게 문을 닫아버리기도 하는데 그런 그녀의 모습에서 우리는 잔혹하고 폭력적인 모성애의 단면을 본다.

임신도 마찬가지다. 페란테가 묘사하는 임신의 경험은 공포영화를 연상시킬 정도로 너무나 끔찍하다.

> 나는 다시 마르타를 낳았다. 마르타는 내 몸을 공격해 통제 불가능한 상태로 만들어놓았다. 마르타는 비앙카와는 달리 처음부터 마르타가 아니었다. 뱃속에 살아 있는 철 조각이 들어 있는 것 같았다. 임신 기간 내내 몸 전체가 피로만 구성된 액체 덩어리가 된 것 같았다. 그 안에 끈적끈적한 침전물이 있고 그 침전물 속에 난폭한 강장동물 같은 것이 자라나고 있는 것 같았다.
>
> 인간과는 거리가 먼 그 물질은 자기가 영양분을 취하고 팽창하기 위해서라면 나를 생명 없는 썩은 시체로 만들어놓을 기세였다. 시꺼먼 침을 뱉어내는 나니의 모습은 둘째를 임신했을 때의 내 모습 같았다.(『잃어버린 사랑』, 225쪽)

어머니의 생명을 갉아먹는 끔찍한 강장동물… 레다는 임신이 여자의 육체를 기형적으로 만드는 끔찍한 경험이라고 한다. 실제 레다는 나니의 뱃속에서 엘레나가 억지로 집어넣은 벌레를 꺼내준다.

여기서 한 가지 주목할 점은 엘레나가 인형 나니를 대하는 태도다. 엘레나와 나니는 유사 모녀관계를 형성하고 있지만 아이가 인형을 가지고 노는 모습은 섬뜩함과 에로틱함이 혼재된 그로테스크한 느낌을 준다. 게다가 엘레나는 나니의 뱃속에 벌레를 집어넣음으로써 인형을 '임신' 시킨다. 욕조에서 엘레나가 집어넣은 진흙을 게워내는 나니의 모습에서 어린 엘레나의 잔혹함과 여성에게 임신과 출산과 양육을 강요하는 사회 제도가 겹쳐지는 듯하다.

『잃어버린 사랑』에서 다루는 또 하나의 주제는 레다와 딸들 사이의 소통의 부재다. 레다는 딸들이 자기를 이해하지 못한다고 생각한다. 딸들이 자기 이야기를 듣고 싶어 하지도 않고 이해하고 싶어 하지도 않기 때문에 자신의 감정을 제대로 전하지 못한다. 레다는 어린 시절 왜 자신이 어린아이들을 두고 떠날 수밖에 없었는지 진심을 담은 편지를 두 딸에게 전하지만 아이들은 엄마의 편지에 아무런 반응을 보이지 않는다. 비앙카와 마르타는 자신들의 일상에 방해가 될까봐 어머니와의 깊은 대화를 회피

한다. 딸들은 대화할 준비가 되어 있지 않다. 딸들은 자신들 역시 미래에 겪게 될 수도 있는 여성의 문제를 함께 고민함으로써 이를 해결해나갈 수 있는 기회를 잃어버리고 '건설적인 여성 공동체'를 형성하는 데 실패한다.

레다가 니나와의 관계에 더 깊이 빠져 들게 된 것은 이러한 딸들과의 소통의 부재, 여성들간의 연대감에 대한 공감의 부재 때문일 것이다.

> 딸들에게 속내를 털어놓을 생각을 한 내가 어리석었다. 딸들이 적어도 오십은 될 때까지 기다렸어야 했다. 나를 엄마라는 역할이 아닌 하나의 인격체로 봐달라고 요구하기에는 너무 일렀다.
>
> 나는 너희들의 역사이자 기원이라고, 그러니 내 말을 들으면 도움이 될 거라고 말하기에는 때가 너무 일렀다. 하지만 니나에게만큼은 나는 이미 흘러가버린 역사가 아니었다. 니나라면 내게서 과거가 아닌 미래를 볼 수 있을 것 같았다. 나는 타인인 니나를 딸처럼 대하며 외로움을 달래고 싶었다. 니나를 찾고 싶었다. 니나와 가까워지고 싶었다.(『잃어버린 사랑』, 144쪽)

『잃어버린 사랑』의 결말부에 니나는 레다에게 애인인 지노와의 밀회를 즐길 수 있게 아파트 열쇠를 빌려달라고 부탁한다.

여기서 레다의 열쇠는 니나의 인생에 있어서 중요한 변곡점을 의미한다. 열쇠를 받는 순간 니나는 기존 체재에 대한 반항을 선택하게 되는 것이고 받지 않는다면 순응하는 것이기 때문이다.

레다는 니나에게 열쇠를 주고 훔쳐갔던 인형을 되돌려준다. 하지만 인형은 니나에게 예상치 못한 반응을 불러일으킨다. 니나는 사라진 인형 때문에 고통받았던 자기 딸과 그 때문에 힘들었던 기억이 떠올라 분노를 이기지 못하고 레다가 선물로 준 브로치 핀으로 그녀의 옆구리를 찌른다. 결과적으로 니나는 자신을 각성시키려 한 레다를 거부하고 가부장적인 시스템으로 돌아가는 것을 택한 것이다. 이것은 니나에게는 과거 레다와 같은 결단력이 없었기 때문에 일어난 결과다. 레다가 자아를 찾기 위해 아이들을 떠나야 한다는 목표를 분명히 가지고 있던 것에 비해 니나는 그저 현재 상황에서 도피하고 싶었을 뿐이다.

유사 모녀관계를 형성했던 니나에게 공격당하고 버림

받은 레다는 마침 안부 전화를 걸어온 딸들에게 이렇게 말한다.

"엄마는 죽었지만 잘 지낸단다."(『잃어버린 사랑』, 258쪽)

언뜻 보면 모순적인 이 문장의 의미를 '나쁜 사랑 3부작' 관련 서면 인터뷰에서 페란테는 다음과 같이 설명한다.

"제게 죽음이란 내면의 무엇인가를 지우는 행위를 의미합니다. 이러한 행위는 두 가지 결과를 초래하는데 회복이 불가능할 정도로 망가지거나 병든 부분을 완전히 근절시켜서 궁극적으로는 치유되는 것입니다."

'나쁜 사랑 3부작' 주인공 중에서 레다만 이 과정을 겪는 것은 아니다. 델리아와 올가도 이 과정을 거친다.

레다는 스스로 자신이 '비뚤어진 어머니'라는 사실을 인정한다. 그녀는 어머니라는 역할을 자연스럽게 받아들이지 못하고 끊임없이 여성과 어머니의 정체성 사이에서 갈등한다. 그녀는 여성으로서의 자신의 삶을 희생하거나 포기하지 않고도 딸들을 사랑하고 딸들에게서 사랑받는 것이 가능한지 자문한다. 어쩌면 한여름의 소동 끝에 그에 대한 답을 얻었을 수도 있다.

『잃어버린 사랑』에 대한 이야기를 '나폴리 4부작'에 대한 언급 없이 끝낼 수는 없을 것 같다. '나쁜 사랑 3부작'을 구성하는 세 작품 중에서 가장 마지막에 쓰인 이 소설은 어떤 면에서는 '나폴리 4부작'의 습작이 아닌가 싶을 정도로 '나폴리 4부작'과 겹치는 부분이 많다.

우선 캐릭터 부분에서 니나는 여러모로 릴라를 연상시킨다. 둘은 똑같이 어린 나이에 가부장적인 나폴리 남자와 결혼한다. 키가 작고 다부진 니나의 남편 토니노와 호리호리하고 지적인 지노는 '나폴리 4부작'에 등장하는 릴라의 남편 스테파노와 그녀의 연인 니노와 외모도 성격도 유사하다.

설정 면에서도 비슷한 면이 많다. 리노와 사랑에 빠져 어린 데데와 엘사를 버리고 여행을 떠나고 아이들이 듣고 있는데도 수치심을 버리고 전화로 니노와 사랑을 속삭이던 '나폴리 4부작'의 주인공 레누 역시 비앙카와 마르타가 빤히 듣고 있는데도 하디 교수와 통화를 하는 레다의 모습에 겹쳐진다.

무엇보다 사라진 인형이 있다. '나폴리 4부작' 전체를 아우르며 결말을 장식한 사라진 인형의 테마는 『잃어버린 사랑』에서도 결정적인 의미를 가진다.

'나폴리 4부작'을 사랑하는 독자라면 밑그림과 완성작을 비교하듯 해변을 중심으로 펼쳐지는 『잃어버린 사랑』의 세계가 어떻게 60년을 아우르는 두 여인의 이야기로 확장됐는지 확인하는 재미를 맛볼 수 있을 것이다.

맺는말

'나폴리 4부작'의 번역을 마치고 그녀의 전작인 '나쁜 사랑 3부작'을 번역한 것은 페란테의 세계관의 근원을 찾아가는 흥미로운 경험이었다. 페란테의 데뷔작 『성가신 사랑』이 발표된 지 근 30년이 지나는 동안 그녀가 쓴 소설이 '나쁜 사랑 3부작' 세 작품과 '나폴리 4부작'이라는 사실을 생각하면 페란테가 과작의 작가라는 사실은 분명하다. 뿐만 아니라 페란테는 주제와 소재 면에서도 일관적이다. 그녀는 장르와 주제를 넘나들며 다양한 작품 세계를 보여주는 작가는 분명히 아니다. 그보다는 여성과 자아 탐구라는 주제를 심도 있게 파헤치면서 독자의 공감대를 이끌어낸다.

페란테의 여성들은 강인하다. 이는 그녀들이 두려움이 없거나 감각이 무디다는 뜻이 아니다. 페란테의 여성들은 누구보다 섬세하고 자기 자신과 타인에 대해서 민감하며 자존감이 높다. 그녀들의 강인함은 그 어떠한 상황에서도 피상적으로 현상을 바라보는 데 그치지 않고 본질을 이해하려는 노력에서 기인한다. 페란테는 자신의 모든 행동에 대한 도덕적인 모호성에 대해 자각하고 자신과 타인에게 진정으로 이롭고 해로운 것이 무엇인지 이해하기 위해 최선을 다해 노력하는 인물에게 이끌린다고 했다. 우리가 올가와 델리아와 레다 그리고 더 나아가 릴라와 레누에게 이끌리고 공감하는 것은 그녀들이 바로 그런 사람들이기 때문일 것이다.

2019년 6월

김지우

엘레나 페란테 Elena Ferrante

이탈리아 나폴리에서 출생한 작가로, 나폴리를 떠나 고전 문학을 전공하고 오랜 세월을 외국에서 보냈다는 사실 외에 알려진 바가 없다. '엘레나 페란테'라는 이름조차도 필명이다. 작품만이 작가를 보여준다고 주장하는 페란테는 어떤 미디어에도 모습을 드러내지 않고 서면으로만 인터뷰를 허락한다. 이탈리아에서는 여전히 작가의 정체와 관련된 여러 가지 소문이 떠돌지만 아직도 베일에 싸여 있다.

1999년 첫 작품 『성가신 사랑』을 출간해 이탈리아 평단을 놀라게 한 페란테는 2002년 『버려진 사랑』을 출간한다. 에세이집 『라 프란투말리아』(2003)와 소설 『잃어버린 사랑』(2006), 『밤의 바다』(2007)를 출간한 뒤 2011년 '페란테 열병'(#FerranteFever)을 일으킨 '나폴리 4부작' 제1권 『나의 눈부신 친구』를 출간한다. 이어서 『새로운 이름의 이야기』 『떠나간 자와 머무른 자』 『잃어버린 아이 이야기』까지 총 네 권을 출간해 세계의 베스트셀러 작가가 된다.

『타임』지는 '세계에서 가장 영향력 있는 100인' 가운데 한 명으로 엘레나 페란테를 선정했다.

김지우 金志祐, 1978–

이탈리아에서 어린 시절을 보냈고 한국외국어대학교 이탈리아어과를 졸업했다. 동 대학교 국제지역대학원에서 유럽연합지역학으로 석사학위를 받은 후 현재 이탈리아대사관에서 근무하고 있다. 주요 번역 작품으로는 엘레나 페란테의 '나폴리 4부작' 『나의 눈부신 친구』 『새로운 이름의 이야기』 『떠나간 자와 머무른 자』 『잃어버린 아이 이야기』와 파올로 발렌티노의 『고양이처럼 행-복』이 있다.

나쁜 사랑 3부작 제3권

잃어버린 사랑

지은이 엘레나 페란테
옮긴이 김지우
펴낸이 김언호

펴낸곳 (주)도서출판 한길사
등록 1976년 12월 24일 제74호
주소 10881 경기도 파주시 광인사길 37
홈페이지 www.hangilsa.co.kr
전자우편 hangilsa@hangilsa.co.kr
전화 031-955-2000~3 **팩스** 031-955-2005

부사장 박관순 **총괄이사** 김서영 **관리이사** 곽명호
영업이사 이경호 **경영이사** 김관영 **편집주간** 백은숙
편집 박희진 노유연 최현경 강성욱 이한민 김영길
관리 이주환 문주상 이희문 원선아 이진아 **마케팅** 정아린
디자인 창포 031-955-2097
인쇄 예림 **제책** 예림바인딩

제1판 제1쇄 2019년 6월 24일
제1판 제3쇄 2022년 8월 16일

값 14,500원
ISBN 978-89-356-6797-0 04880
ISBN 978-89-356-6798-7 (세트)

• 잘못 만들어진 책은 구입하신 서점에서 바꿔드립니다.
• 이 도서의 국립중앙도서관 출판시도서목록(CIP)은
서지정보유통지원시스템 홈페이지(seoji.nl.go.kr)와
국가자료공동목록시스템(www.nl.go.kr/kolisnet)에서 이용하실 수 있습니다.
(CIP제어번호: CIP2019018761)

세계의 독자들
엘레나 페란테에 빠지다

역작이다. 『성가신 사랑』은 위기에 빠진 여성의 참혹한
심리 상태를 묘사한다. 『잃어버린 사랑』과 더불어
이탈리아 최고의 작가라는 페란테의 명성을 다시 확인시켜준다.
미국_시애틀 타임스

바로 이 순간에도 작가는 우리에게 우리 자신이 버려진다는
고통을 안겨준다. 우리를 뒤처지게 하고, 바닥으로 넘어뜨리고,
괴물처럼 기어 다니며 주절거리게 한다.
미국_산디에고 유니온 트리뷴

페란테의 자기 이해는 대단하다. 그녀의 솔직함은 놀랍다.
미국_뉴욕타임스

남편에게 쉽게 잊힌 아내의 특별한 고독을 진지하게 그려낸 걸작.
미국_필라델피아 인콰이어러

엘레나 페란테로부터 버려진다는 것은 놀라운 경험이다. 『잃어버린
사랑』의 주인공은 그녀의 인생 중 가장 치열한 삶을 살게 한다.
영국_리터러리 리뷰

왜 베스트셀러인지 이해가 되는 찬란한 작품. 솔직한 감성,
거침없는 성욕. 강력하다! 오랜만에 나를 기분 좋게 만들어준 소설.
미국_뉴욕타임스

당신이 페란테에 관해 무엇을 읽었든 간에, 그녀의 소설이 주는
맹렬함에 대응하기는 어렵다.
미국_뉴욕타임스

페란테가 그려내는 여성의 경험은 너무나 현실적이어서,
독자들이 마치 작가를 개인적으로 알고 있다고 착각하게 만든다.
미국_뉴욕타임스 매거진

세상의 어머니들에게 선물할 만한 가장 완벽한 소설.
미국_허핑턴포스트

페란테는 이탈리아의 앨리스 몬로다.
모나 심슨_작가

엘레나 페란테, 그는 단연 우리 시대 최고의 작가다.
존 워터_감독

『잃어버린 사랑』은 굉장히 성공적인 작품이다.
섬세하면서 대담하고, 정교하면서 덧없다.
독자들을 상처처럼 아프게 하지만 연고처럼 치유해준다.
이탈리아_라 리퍼블리카

『잃어버린 사랑』은 여성의 삶에 대한 소설이다.
사랑과 열정과 소멸, 갈등을 체험하게 한다. 이 소설은 기이하게도
성숙한 인간으로의 성장에 걸림돌이지만 성장을 돕는 문학의 힘이다.
이탈리아_라 스탬파

페란테만큼 여성의 속마음을 잘 표현하는 작가는 없다.
그녀의 글은 놀랄 만큼 솔직하고 민망할 정도로 대담하다.
미국_북리스트

기억 속에서 결코 떠나보낼 수 없는 소설.
미국_보스턴 글로브

『잃어버린 사랑』에서 구현되는 페란테의 문장은 놀라울 정도로
솔직하고, 단도직입적이며, 잊히지 않는다.
미국_퍼블리셔스 위클리

『잃어버린 사랑』은 어머니라는 존재에 대한 많은 질문을 던지지만,
이해하기 쉬운 답변은 주지 않는다. 쉬운 답변이란 것은
확실히 없다는 것을 우리에게 알려준다.
미국_퍼스트 스트리딩

페란테는 모든 소설을 보잘것없게 만든다.
그녀는 놀랍도록 대단한 소설가다.
리처드 플래너건_작가

페란테의 소설은 여성과 어머니에 대한 강렬한 사색이다.
미국_월드 리터러처 투데이